고객이 반드시 물어보는 질문 30가지

| 손해보험 | 전 국민이 선택한 **생활 필수보험** | **의료실비보험**에 관한 궁금한 점을 시원하게 답해 드리겠습니다 |

의료실비

의료실비보험

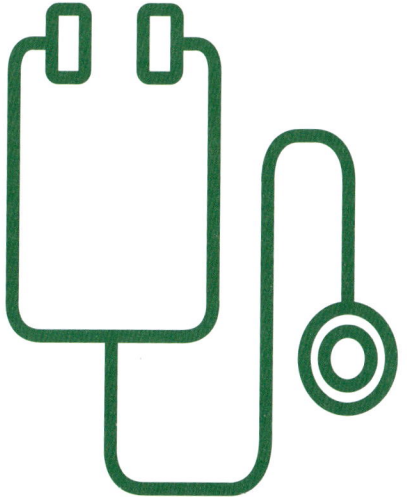

고반물질30은 **다모아미디어**의 고유자산으로 무단 전제·복제 및 임의 사용시 저작권법 위반으로 5년이하의 징역 혹은 5천만원 이하의 벌금형이 부과됩니다.

목차

1. 의료실비보험이 뭐에요?
2. 의료실비보험 꼭 가입해야 하나요?
3. 의료실비보험 가입시 유의할 점은?
4. '4세대실손[21년7월1일]'에 대해 자세히 설명해 주세요?
5. 2024년7월부터 시행예정인 '보험료차등제'에 대해 자세히 설명해 주세요?
6. 2024년10월부터 시행예정인 '실손보험 청구 간소화'서비스에 대해 자세히 설명해 주세요?
7. 의료실비보험_변천과정(변천사)?
8. 실손보험의 종류에 대해 설명해 주세요?
9. 착한/노후/유병력자/4세대실손을 비교해 주세요?
10. 입원의료비[선택형]의 보장내용은[16년1월~21년6월]?
11. 입원의료비의 보상기간[16년1월~21년6월]은?
12. 입원의료비중 병실료 차액에 대해 자세히 설명해 주세요?
13. '3대비급여특약'에 대해 자세히 설명해 주세요?
14. '도수·증식·체외충격파치료'의 보상기간은?
15. 통원의료비[선택형]의 보장내용[16년1월~21년6월]?
16. 통원의료비중 요양기관별 공제금액이 왜?다른가요?
17. 병원영수증[견본]으로 보험금을 얼마나 받을 수 있는지 설명해 주세요?
18. 의료실비보험에서 어떤 항목이 면책조항인가요?
19. 유병력자라서 의료실비보험 가입을 거절하는데 유병력자가 가입할 수 있는 보험은 없나요?
20. 생명보험과 손해보험의 차이는?
21. 의료보험제도를 다른나라와 비교해 주세요?
22. 중복보상에 대해 자세히 설명해 주세요?
23. 상해[=재해]에 대해 자세히 설명해 주세요?
24. 상해(손보)와 재해(생보)의 차이에 대해 쉽게 설명해 주세요?
25. 고가의료장비는 어떤게 있고 의료실비보험에서 전부 보상되나요?
26. CT/MRI/PET는 어떻게 다른가요?
27. 수술의 정의에 대해 자세히 설명해 주세요?
28. 보험금청구권 소멸시효에 대해 사례를 들어 자세히 설명해 주세요?
29. 보험금을 청구했더니 현장조사(현장심사)나온다는데 어떻게 해야 하나요?
30. 의료실비보험으로 제대로 된 보장을 받으려면 어떻게 설계 하면 될까요?

목차 [질문 1~10번]

1. 의료실비보험이 뭐에요?
2. 의료실비보험 꼭 가입해야 하나요?
3. 의료실비보험 가입시 유의할 점은?
4. '4세대실손[21년7월1일]'에 대해 자세히 설명해 주세요?
5. 2024년7월부터 시행예정인 '보험료차등제'에 대해 자세히 설명해 주세요?
6. 2024년10월부터 시행예정인 '실손보험 청구 간소화' 서비스에 대해 자세히 설명해 주세요?
7. 의료실비보험_변천과정(=변천사)?
8. 실손보험의 종류에 대해 설명해 주세요?
9. 착한/노후/유병력자/4세대실손을 비교해 주세요?
10. 입원의료비[선택형]의 보장내용은[16년1월~21년6월]?

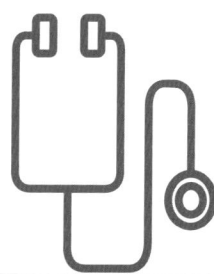

질문 01: **의료실비보험**이 뭐에요?

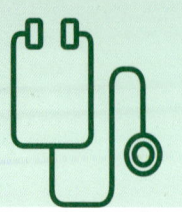

 **의료실비보험** : 내가 낸 **병원비 돌려받는** 보험

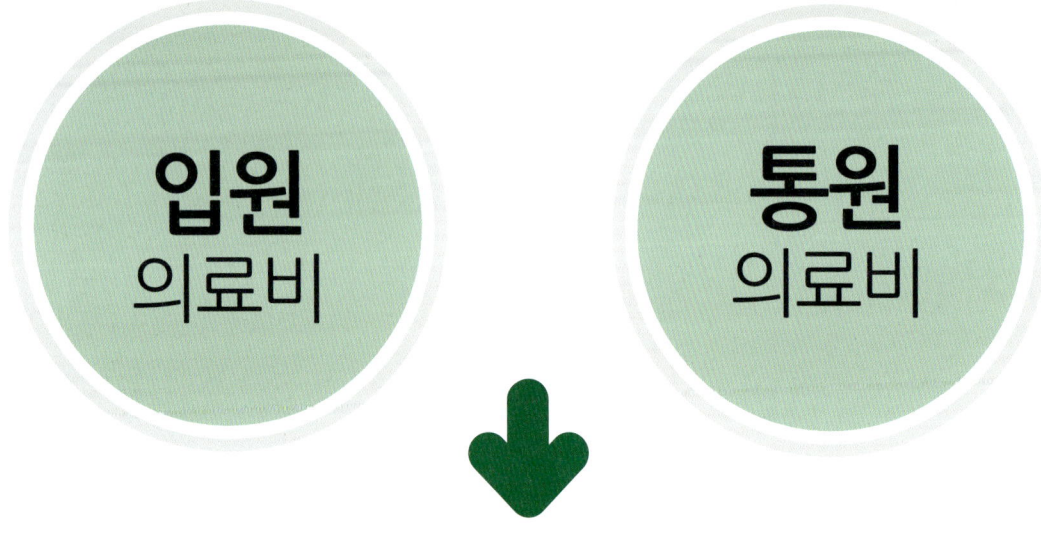

입원 의료비

통원 의료비

⬇

본인부담 **의료비** 환급

국민건강보험이 적용됨을 원칙 으로 하여 피보험자 본인이 지불한 치료실비를 보상합니다.
의료(실)비는 상해/질병으로 치료시 적은 금액이라도 보장되는 **필수담보항목** 입니다.
(※단, 의료비중 보상하지 않는 손해를 꼭 확인해야 합니다.)

질문 02 의료실비보험 **꼭 가입**해야 하나요?

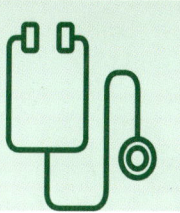

 **전 국민의 77%(약3900만명)가 가입한 국민보험**
: 건강보험 63% / 의료실비 37%의 80~90%를 실손으로 해결

국민건강보험 63%	의료실비 37%

 **건강보험 보장률의 하락** : 건강보험 재정 악화로 보장률 하락 예측

 **의료민영화 실시** : 의료실비보험 미 준비시 의료비 폭탄

 **병원비 > 매년 인상되는 갱신보험료** : 매년 갱신되는 보험료보다 병원비의 부담이 더 클 것

 **신의료기술의 발전** : 고가장비/고가약제에 대비

'의료실비보험'은 조금 부족한 부분이 있더라도
반드시 **"가입/유지"** 해야 한다!!!

고반물질30은 다모아미디어의 고유자산으로 무단 전제·복제 및 임의 사용시 저작권법 위반으로 5년이하의 징역 혹은 5천만원 이하의 벌금형이 부과됩니다.

질문 03 : 의료실비보험 가입시 유의할 점은?

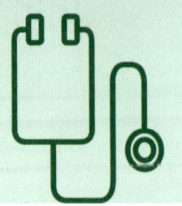

> '의료실비보험'은 전 보험사가 취급하는 만큼 반드시 아래 5가지를
> 검토하여 "최적의 상품과 보험회사를 선택" 해야 한다!!!

 **100세만기** : 보험기간이 짧아 만기가 되면 나이, 치료병력등으로 보험가입이 제한 될 수 있으므로 100세만기로 가입

 **중복보상 여부**
: 의료실비는 중복보장이 되지 않는 상품으로 중복여부 반드시 체크

 **진단비,수술비,입원비 충분보장**
: 반드시 갱신형보다 비갱신형으로 가입하는게 유리

 **보험금 지급이 빠른 상품과 보험회사 선택** : 최근 의료기술 발달로 수술보다는 시술이 많고, 입원보다는 통원이 많음, 보험금청구가 간편하고 빠른 상품과 보험회사를 선택하는게 유리

 **비용담보 충분히 가입** : 운전자보험/화재보험/배상책임담보등

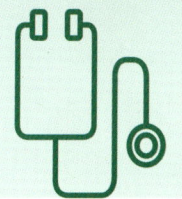

질문 04: '4세대실손[21년7월1일]'에 대해 자세히 설명해 주세요?

의료실비

구분			보장내역	자기부담금 차감 금액	보장한도
기본형	상해 급여 의료비	입원	입원실료/입원제비용/입원수술비	요양급여 또는 본인부담의료비의 20%	연 5천만원
		통원	외래제비용/외래수술비/처방조제비	① 병원/의원급 : 1만원과 본인부담의료비의 20% 중 큰 금액 ② 상급/종합병원급 : 2만원과 본인부담의료비의 20% 중 큰 금액	회당 20만원
	질병 급여 의료비	입원	입원실료/입원제비용/입원수술비	요양급여 또는 본인부담의료비의 20%	연 5천만원
		통원	외래제비용/외래수술비/처방조제비	① 병원/의원급 : 1만원과 보장대상 의료비의 20% 중 큰 금액 ② 상급/종합병원급 : 2만원과 보장대상 의료비의 20% 중 큰 금액	회당 20만원
특약형	상해 비급여 의료비	입원	입원실료/입원제비용/입원수술비	비급여 의료비(비급여병실료 제외)의 30%	연 5천만원
			상급병실료차액	비급여 병실료의 50%, 1일 평균 10만원 한도	1일평균 10만원한도
		통원	외래제비용/외래수술비/처방조제비	3만원과 보장대상 의료비의 30%	회당 20만원
	질병 비급여 의료비	입원	입원실료/입원제비용/입원수술비	비급여 의료비(비급여병실료 제외)의 30%	연 5천만원
			상급병실료차액	비급여 병실료의 50%, 1일 평균 10만원 한도	1일평균 10만원한도
		통원	외래제비용/외래수술비/처방조제비	3만원과 보장대상 의료비의 30%	회당 20만원
	3대 비급여 의료비		"도수치료·체외충격파·증식치료" 본인부담 의료비	1회당 3만원과 보장대상의료비의 30% 중 큰 금액	350만(50회) *주1)
			"주사치료" 본인부담 의료비	1회당 3만원과 보장대상의료비의 30% 중 큰 금액	250만(50회)
			"자기공명영상진단" 본인부담 의료비	1회당 3만원과 보장대상의료비의 30% 중 큰 금액	300만원(횟수제한無)

* 주1) "도수치료·체외충격파·증식치료"는 최초10회 보장하고 이후 전문의로부터 '증상의 개선','병변호전' 등이 확인된 경우에 한하여 10회 단위로 연간 50회까지 보상
※ 비급여항목은 할인·할증을 적용 : 최대 3배까지 할증 [미청구:매년5%할인/100만↓:할인X할증X/100↑~150↓:1배/150↑~300만↓:2배/300만↑:3배할증]
※ 재가입주기 : 15년 -> 5년

고반물질30은 다모아미디어의 고유자산으로 무단 전제·복제 및 임의 사용시 저작권법 위반으로 5년이하의 징역 혹은 5천만원 이하의 벌금형이 부과됩니다.

질문 05

2024년 7월부터 시행예정인 '보험료차등제'에 대해 자세히 설명해 주세요?

■ **내용** : 비급여 의료이용 방지 및 계약자간 보험료 부담의 형평성 제고를 위해 보험료를 차등적용하는 제도를 말함

■ **시행시기** : 2024년 7월부터 시행예정

■ **시행내용** : 직전 1년간 비급여 특약 지급보험금에 따라, 비급여 특약 보험료가 할인, 할증(매년 리셋)
  ※ 단, 산정특례대상질환으로 인한 의료비 및 노인장기요양 1~2등급자에 대해서는 예외 적용

■ **할인/할증**

☐ 비급여 의료 이용량에 따른 특약보험료 할인/할증 구간

구분	1단계 / 할인	2단계 / 유지	3단계 / 할증	4단계 / 할증	5단계 / 할증
직전 1년간 비급여 보험료 지급액	0원	100만원 미만	100만원 이상 ~ 150만원 미만	150만원 이상 ~ 300만원 미만	300만원 이상
할인 / 할증 적용률	**할인**	-	**100%**	**200%**	**300%**

■ **조회시스템 구축** : 주요 조회 내용(각 보험사마다 구축), 문자·알림톡 등을 통한 안내 병행
  ① 비급여 보험금 수령액(누적) ② 비급여 보험료 할인·할증 단계 ③ 다음 할증 단계까지 남은 비급여 보험금
  ④ 할인·할증 제외 신청을 위한 필요서류 안내(서류 첨부기능 포함)

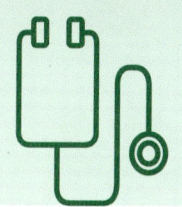

질문 06

2024년10월부터 시행예정인 '실손보험 청구 간소화' 서비스에 대해 자세히 설명해 주세요?

의료실비

■ **내용** : 실손보험 받기 위해 병원이나 약국에 직접 방문해 종이 서류 발급받고 보험설계사가 보험사의 팩스·앱 등 통해 서류 제출
=> 병원에 실손보험 청구해달라고 요청으로 보험금 청구 끝!!!(매우 간편)

■ **시행시기** : 2024년 10월 25일부터 시행예정 (※약국은 2025년 10월 25일부터)

■ **보험금 청구 간소화 개요** : 환자가 보험사에 '보험금 주세요' 신청으로 보험금 청구 끝

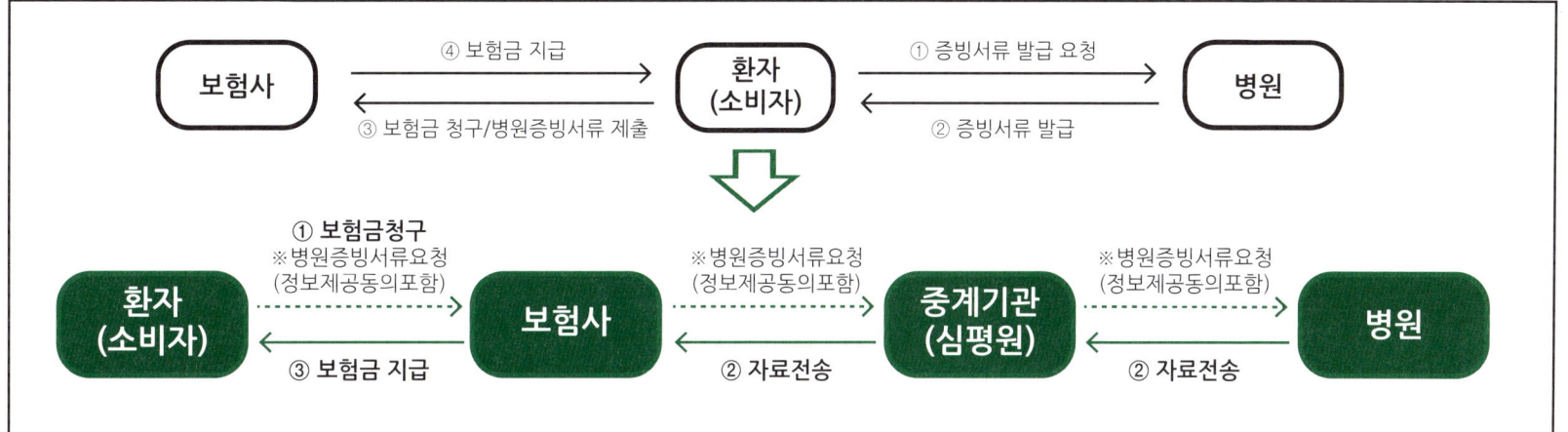

■ **기대효과**
① 실손보험 청구 과정이 쉽고 편하게 바뀌어 소비자의 편익 증대
② 청구간소화로 보험금 청구 누락 줄어듦
③ 종이 서류 발급으로 발생하던 사회적 비용 획기적 절감
④ 보험설계사 보험금 청구업무 탈피로 업무시간 획기적 절감

고반물질30은 다모아미디어의 고유자산으로 무단 전제·복제 및 임의 사용시 저작권법 위반으로 5년이하의 징역 혹은 5천만원 이하의 벌금형이 부과됩니다.

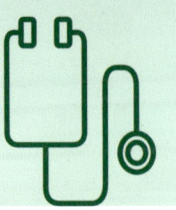

질문 07: 의료실비보험_변천과정(=변천사)?

구분		표준화 이전 [2003.10.1]	표준화 1차 [2009.10.1]	표준화 2차 [2013.4.1]	표준화 3차 [2015.9.1]	표준화 4차 [2016.1.1]	착한실손 [2017.4.1]	4세대실손 [2021.7.1]
입원의료비	보장한도	3천~1억	5천만	5천만	5천만	5천만	5천만	급여/비급여 각5천만
	보장비율	100%	90%	표준형 80% 선택형 90%	선택형Ⅱ (급여90%,비급여80%)	선택형Ⅱ (급여90%,비급여80%)	선택형Ⅱ (급여90%,비급여80%) ※도수/MRI/주사치료	표준형Ⅱ (급여80%,비급여70%) ※도수/MRI/주사치료 : 각 치료합산 최초10회후 10회씩 연장(최대50회)
	갱신주기	5년/100세만기	3년/100세만기	1년/15년납 15년만기(갱신의사 필수)	1년/15년납 15년만기(갱신의사 필수)	1년/15년납 15년만기(갱신의사 필수)	1년/15년납 15년만기(갱신의사 필수)	1년/5년납 5년만기(갱신의사 필수)
	본인부담한도	-	200만	200만	200만	200만	200만	급여 200만/비급여 無
	입원한도	발병/사고일로부터 사고당 연간 입원한도 (면책180일)	입원일로부터 사고당 연간 입원한도 (면책90일)	입원일로부터 사고당 연간 입원한도 (면책90일)	입원일로부터 사고당 연간 입원한도 (면책90일)	발병/사고당 보장금액 도달시까지 (275일↑도달 : 90일면책, 275일↓도달 : 1년시점 복원)	발병/사고당 보장금액 도달시까지 (275일↑도달 : 90일면책, 275일↓도달 : 1년시점 복원)	발병/사고당 보장금액 도달시까지(기간에 무관)
	상급병실	2인실기준 50%	상급병실료차액 50%/1일평균 10만한도	상급병실료차액 50%/1일평균 10만한도	상급병실료차액 50%/1일평균 10만한도	상급병실료차액 50%/1일평균 10만한도	상급병실료차액 50%/1일평균 10만한도	비급여 상급병실료차액 50%/1일평균 10만한도
통원의료비	보장한도	10~50만	20~25만원 (계약일 180회)	20~25만원 (계약일 180회)	20~25만원 (계약일 180회)	20~25만원 (계약일 180회)	20~25만원 (계약일 180회)	급여20만(횟수제한X) 비급여20만(100회)
	처방조제비		5~10만 (계약일 180회)	5~10만 (계약일 180회)	5~10만 (계약일 180회)	5~10만 (계약일 180회)	5~10만 (계약일 180회)	① 급여:1만(병·의원)/2만(상급·종합병원)과 의료비 20% 중 큰 금액 [※처방조제 : 공제 無] ② 비급여(3대비급여포함) :3만원과 의료비 30% 중 큰 금액
	통원비공제	5천원	의원/병원/종합병원 1만/1.5만/2만	의원/병원/종합병원 1만/1.5만/2만 & 의료비 20% 중 큰 금액	의원/병원/종합병원 1만/1.5만/2만 & 급여10%, 비급여20% 중 큰 금액	의원/병원/종합병원 1만/1.5만/2만 & 급여10%, 비급여20% 중 큰 금액	의원/병원/종합병원 1만/1.5만/2만 & 급여10%, 비급여20% 중 큰 금액	
	처방전공제			8천원	8천원 & 20% 중 금액	8천원 & 급여 10%, 비급여20% 중 큰 금액	8천원 & 급여 10%, 비급여20% 중 큰 금액	
한의원/치과/치질		X	O(급여)	O(급여)	O(급여)	O(급여)	O(급여)	O(급여)
정신과		X	X	X	X	O(급여) : 우울증,주의력결핍,틱장애	O(급여) : 우울증,주의력결핍,틱장애	O(급여) : 우울증,주의력결핍,틱장애
80%장해시		소멸	유지	유지	유지	유지	유지	유지
자동차/산재		X	X (본인부담분 보장)	본인부담 40%	본인부담분 중 급여90% / 비급여80%	본인부담분 중 급여90% / 비급여80%	본인부담분 중 급여90% / 비급여80%	X (본인부담분 보장)

고반물질30은 다모아미디어의 고유자산으로 무단 전제·복제 및 임의 사용시 저작권법 위반으로 5년이하의 징역 혹은 5천만원 이하의 벌금형이 부과됩니다.

질문 08: 실손보험의 종류에 대해 설명해 주세요?

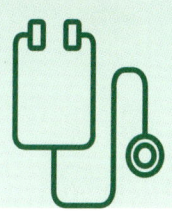

의료실비

일반실손 [2005년]

□ 정의
치료 이력이 없고 건강한 경우에만 가입 가능한 상품
2005년부터 판매되고 있는 건강체가 가입하는 실손

□ 특징
① 현재 상해·질병 입·통원당 5천만원/30만원 보장
② 자기부담율 : 급여[10%or20%], [비급여20%]
③ 변경주기 : 1년갱신(15년 재가입)
④ 담보 제한 유무 : 건강체면 담보 제한 없음

노후(노인)실손 [2014년8월]

□ 정의
50~75세(일부보험사는 80세)를 대상으로 나이가 있는 중장년층이 가입하는 '노후실손의료보험'

□ 특징
① 입·통원 구분없이 보장한도 1억원
② 보험료 : 일반실손보험의 70~80%수준
③ 과잉진료 방지를 위해 자기부담금 비율 높음
   노후실손[급여20%,비급여30%]
   > 일반실손[급여10%,비급여20%]

4세대실손 [2021년7월]

□ 정의
높은 손해율, 과잉진료, 갱신시 높은 보험료 상승등의 이유로 보험금 청구가 적은 소비자들의 보험료 부담을 덜어주기위해 21년7월 '4세대실손보험'이 출시

□ 특징
① 급여와 비급여 구분 : 상해/질병 & 상해/질병/3대비급여
② 입원5천만원, 통원20만원 : 급여·비급여 각각
③ 보험료 저렴 : 기존실손 보험료대비 약10~70%정도 저렴
   (※3세대보다10%/2세대보다50%/1세대보다70%저렴)
④ 입원 자기부담금 상향 : 착한실손 대비 10%정도 높아짐
   착한실손[급여10%,비급여20%]->4세대실손[급여20%,비급여30%]
⑤ 통원 자기부담금 상향 : 최소1~2만(처방8천원)-> (병·의원)1만원, (상급·종합)2만원과 의료비의 20%중 큰 금액
⑥ 재가입 주기 축소 : 15년만기 -> 5년 만기(갱신의사 필수)
⑦ 보장범위 확대
   - 출생전(태아)가입시 선천성뇌질환(Q00~Q04)보장(급여限)
   - 습관성유산,불임및인공수정합병증(N96~N98)보장(급여限)
   - 피부질환 보장 확대 : 여드름,노화현상,모반 등(급여限)
⑧ 개인별보험료 할인 OR 할증 : 건강체는 갱신시 할인
⑨ 3대비급여[도수·체외충격파·증식치료]조건 강화 :
   종전50회->최초10회이후 병변호전시 최대 50회사용 가능

착한실손 [2017년4월]

□ 정의
금융위원회에서 말하는 '착한실손의료보험'

□ 특징
① 3대 비급여특약은 분리해서 지급
   - 도수·체외충격파·증식치료 : 350만/50회
   - 영상진단(MRI/MRA) : 300만/횟수제한없음
   - 주사료 : 250만/50회
② 2년간 보험금 미청구시 보험료 할인
③ 기존 가입자도 심사없이 전환가능

유병력자실손 [2018년4월]

□ 정의
조금이라도 거절사유가 있으면 가입하기 힘든 상품인데 18년4월부터 '유병력자의료실손보험'이 출시

□ 특징
① 만성질환자(고혈압,당뇨)도 조건 충족 후 가입 가능
② 가입심사항목 : 일반 실손에 비해 1/3로 축소
③ 발병 및 치료이력 반영시기 : 5년->2년으로 축소
④ 가입용이 : 최근 5년간 암 발병 및 치료여부만 반영

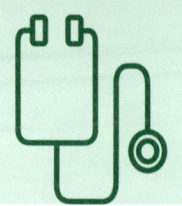

질문 09: 착한/노후/유병력자/4세대실손을 비교해 주세요?

구분			착한실손	노후실손	유병력자실손	4세대실손
	상품구조		기본형 + 비급여 3개 특약	의료비 + 2개 특약	기본형	기본형(상해·질병급여) +특약(상해·질병·3대비급여)
입원	자기부담률	급여	10% 또는 20%	20%	30%	20%
		비급여	20%	30%	30%	30%
	최소자기부담금		없음		10만원	없음
	우선공제		없음	30만원	없음	없음
	보장한도		동일질병·상해당 5천만원	통원과 합산하여 연간 1억원	동일질병·상해당 5천만원	동일질병·상해당 5천만원
	자기부담금연간한도		200만원	500만원	200만원	200만원
통원	보장범위		외래 + 처방조제	외래 + 처방조제	외래 [처방조제 미보장]	외래 [통원으로 합산]
	자기부담률	급여	10%(선) 또는 20%(표)	20%	30%	20%
		비급여	20%	30%	30%	30%
	최소자기부담금		1~2만원(병원급별로 상이)		2만원	급여1~2만원/ 비급여 3만
	우선공제		없음	3만원	없음	없음
	보장한도		회당 30만원(연간180회)	회당 100만원	회당 20만원(연간180회)	급여20만(회수제한無) 비급여20만(연간100회)
변경주기	보험료		1년	1년	1년	1년
	재가입주기		15년	3년	3년	5년

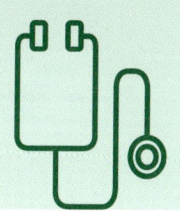

질문 10: 입원의료비[선택형]의 보장내용은 [16년1월~21년6월]?

■ 보장금액 : 급여 본인부담분(90%), 비급여항목(80%보상) : **5천만원**

■ 보상한도 : 발병일로부터 365일 한도(16년1월이전) => **5천만원 소진시** 까지

■ 보장내용
1) **입원실료** : 기준병실 사용료, 환자관리료, 식대
2) **입원제비용** : 진찰료,검사료,방사선료,투약처방료,주사료,이학,정신요법료,처치료,재료대,캐스트료,지정진료비
3) **수술비** : 수술료, 마취료, 수술재료비
4) **병실료차액** : 실제사용병실과 기준병실과의 병실료차액의 50%지급 (※1일평균 10만원한도)

주1) 신체에 상해,질병을 입고 병원또는 의원등에 **입원**하여 **치료**를 받는 경우, 입원의료비를 보상

　■ 국민건강보험의 적용을 받는 경우 :
　1)입원실료, 2)입원제비용, 3)수술비의 비용 전액, 4)병실료차액중 50% 해당액 : 1사고당/1질병당 **5천만원** 한도

　■ 국민건강보험의 적용을 받지 못하는 경우
　위 1)~4)의 발생 입원의료비중 본인부담분의 40% 해당액을 1사고당/1질병당 **5천만원** 한도

주2) 해외진료비 : 면책 / 산재, 자동차사고 : 본인부담금의 90%(80%) / 천재지변 : '보상'
주3) 치과/치질/한의원 : 급여부분의 본인부담금만 '보상', 비급여부분은 '면책'
주4) 동일상해·질병에 의한 입원도 최종 퇴원일로부터 **90일**이 경과하면 새로운 발병으로 간주

목차 [질문 11~20번]

11. 입원의료비의 보상기간[16년1월~21년6월]은?

12. 입원의료비중 병실료 차액에 대해 자세히 설명해 주세요?

13. '3대비급여특약'에 대해 자세히 설명해 주세요?

14. '도수·증식·체외충격파치료'의 보상기간은?

15. 통원의료비[선택형]의 보장내용[16년1월~21년6월]?

16. 통원의료비중 요양기관별 공제금액이 왜?다른가요?

17. 병원영수증[견본]으로 보험금을 얼마나 받을 수 있는지 설명해 주세요?

18. 의료실비보험에서 어떤 항목이 면책조항인가요?

19. 유병력자라서 의료실비보험 가입을 거절하는데 유병력자가 가입할 수 있는 보험은 없나요?

20. 생명보험과 손해보험의 차이는?

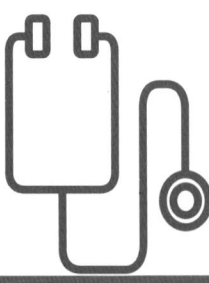

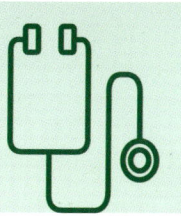

질문 11: 입원의료비의 보상기간 [16년1월~21년6월]은?

개정 전 [2015년12월31일까지] : 입원의료비 보상한도 예시

개정 후 [2016년1월1일부터] : 입원의료비 보상한도 예시

[예시1] 최초입원일~보상한도 종료일이 275일(365일-90일) 이상인 경우

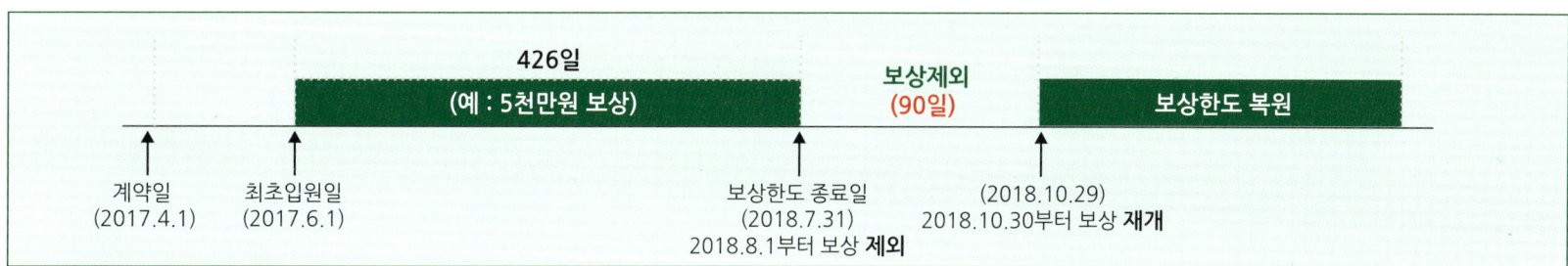

[예시2] 최초입원일~보상한도 종료일이 275일(365일-90일) 이내인 경우

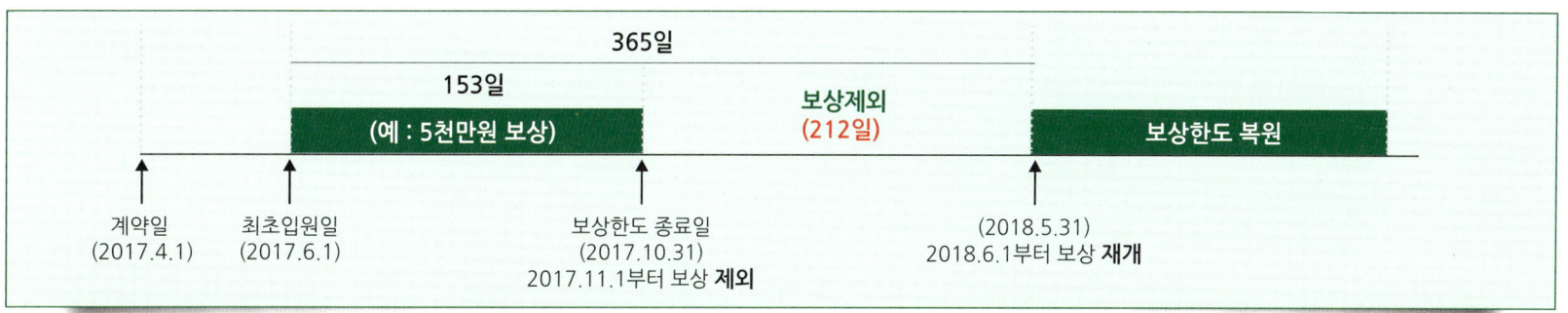

고반물질30은 다모아미디어의 고유자산으로 무단 전제·복제 및 임의 사용시 저작권법 위반으로 5년이하의 징역 혹은 5천만원 이하의 벌금형이 부과됩니다.

질문 12: 입원의료비중 병실료 차액에 대해 자세히 설명해 주세요?

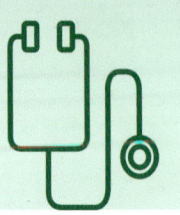

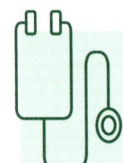

[예시] 특실 3일간(1일당 31만원), 1인실 7일간(1일당 15만원), 총10일간 입원시

<기준병실 1일당 1만원 가정시>

구분	1일	2일	3일	4일	5일	6일	7일	8일	9일	10일
상급병실	특실 [3일간]			1인실 [7일간]						

◇ 상급병실료 차액(기준병실료 대비 병실료 차액의 50%를 공제한 후의 금액) 해당액의 합계액
= (31-1)만원의 50% X 3일 + (15-1)만원의 50% X 7일
= (15만원 X 3일) + (7만원 X 7일) = 45만원 + 49만원 = **94만원**

◇ 총입원일수 = 10일

◇ 1일 평균금액 = 94만원 / 10일 = **9.4만원**
※ 병실료 차액 보상금액 : 1일 평균금액 10만원 한도로 보상

(※1일평균 10만원한도)

병실료 차액 = 총94만원 지급 [1일당 평균금액이 10만원을 초과하지 않았기 때문]

※ 입원환자의 평균 상급병실료 차액 부담 : 일반병원[8만7천원]수준, 종합병원[15만3천원] 수준

질문 13: '3대비급여특약'에 대해 자세히 설명해 주세요?

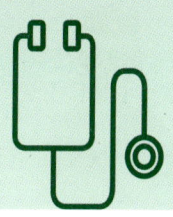

의료실비

구분		정의	인정방법	표준화 (09년10월~21년6월)	4세대실손 [21년7월~]
도수치료		치료자가 손(정형용 교정장치 장비등이 도움을 받는 경우를 포함)을 이용해서 환자의 근골격계통(관절,근육,연부조직,림프절등)의 기능 개선 및 통증 감소를 위한 치료 (※'의사' 또는 의사의 지도하에 '물리치료사'가 도수치료를 하는 경우에 한함)	2종류이상의 치료나 동일한 진료 2회이상 받은 경우? : 각 진료행위를 1회로 보고 각각 적용	350만 [50회]	**좌동** ※ 단, 도·체·증식치료는 각 치료횟수를 합산하여 최초10회 보장하고 이후 전문의로부터 '증상의 개선', '병변호전' 등이 확인된 경우에 한하여 10회 단위로 연간 50회까지 보상
체외충격파치료		체외에서 충격파를 병변에 가해 혈관 재형성을 돕고 건(힘줄) 및 뼈의 치유과정을 자극하거나 재활성화시켜 기능개선 및 통증감소를 위하여 실시하는 치료 (※체외충격파쇄석술은 제외)			
증식치료		근골격계 통증이 있는 부위의 인대나 건(힘줄), 관절, 연골등에 증식물질을 주사하여 통증이 소실되거나 완화되는 것을 유도하는 치료			
영상진단 (MRI/MRA)		자기공명영상 장치를 이용하여 고주파등을 통한 신호의 차이를 영상화하여 조직의 구조를 분석하는 검사(MRI/MRA) : 자기공명영상진단 결과를 다른 의료기관에서 판독하는 경우 포함 (※ 4대중증질환 : 암,심장병,뇌질환,희귀난치성질환은 보상)	1회 입/통원하여 2개 이상부위나 동일부위 2회이상 받은 경우? : 각 진단행위를 1회로 보고 각각 적용	300만	**좌동**
주사료	주사료	주사치료시 사용된 행위, 약제 및 치료재료대	1회 입/통원하여 2회 이상 주사치료를 받은 경우? : 각 진료행위를 1회로 보고 각각 적용	250만 [50회]	**좌동**
	항암제	'조직세포의 기능용 의약품'중 '종양용약'과 '조직세포의 치료 및 진단 목적제제'			
	항생제 (항진균제 포함)	'항병원생물성 의약품'중 '항생물질제제' 및 '화학요법제', '기생동물에 대한 의약품중 항원충제'			
	희귀의약품	'희귀의약품 지정에 관한 규정'에 따라 지정하는 '의약품'			
공제금액				1회당 2만원 또는 보장대상 의료비의 30%중 큰 금액	1회당 3만원 또는 보장대상 의료비의 30%중 큰 금액

※ 1. 증상의 개선, 병변호전: 기능적 회복 및 호전여부는 관절가동(ROM), 통증평가척도, 자세평가 및 근력검사(MMT)를 포함한 이학적 검사, 초음파 검사 등을 통해 해당 부위의 체절기능부전등을 평가한 결과로 판단함
2. 보험수익자와 회사가 합의하지 못한 때는 의료법에 의거 종합병원 소속 전문의 중에서 제3자를 정하며, 보험금 지급사유 판정에 드는 의료비용은 회사가 전액 부담

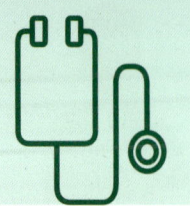

질문 14 : '도수·증식·체외충격파치료'의 보상기간은 어떻게 되는지 자세히 설명해 주세요?

▌계약일 또는 매년 계약해당일로부터 **1년내 350만원을 모두 보상**한 경우

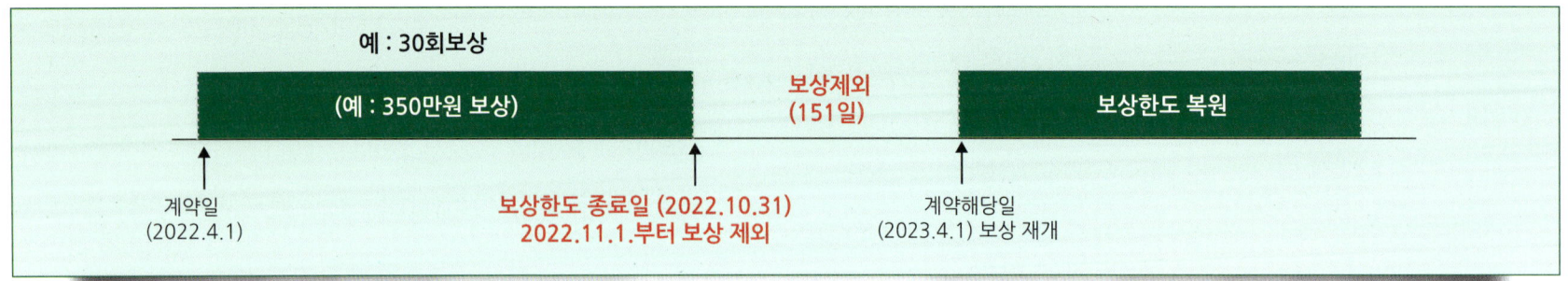

▌계약일 또는 매년 계약해당일로부터 1년내 지급된 보험금이 350만원 미만이나 **50회를 모두 보상**한 경우

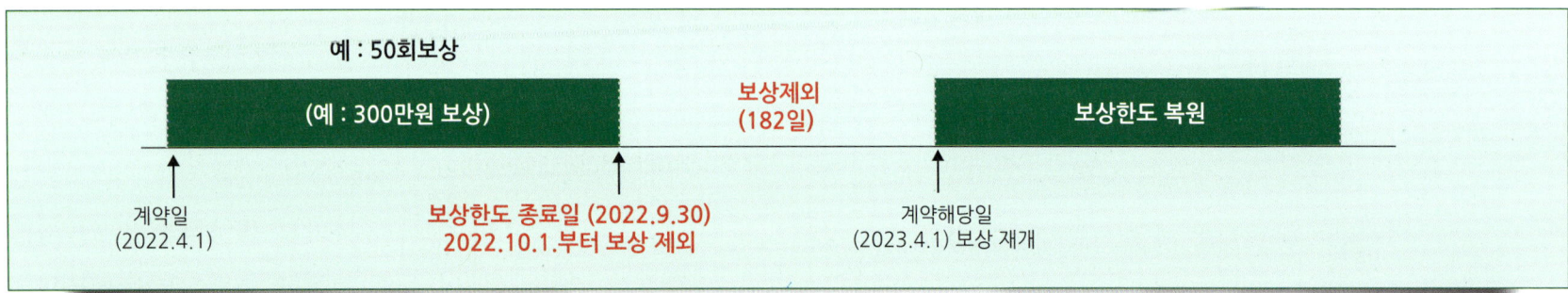

- **도수,증식,체외충격파치료** : 1년내 350만원 또는 50회중 둘중 하나라도 먼저 사용완료되면 365일까지 면책, 366일째 보상 재개
  ※ 4세대실손(22년7월1일)부터는 최초10회 보장이후 전문의로부터 '증상의 개선', '병변호전'등이 확인 후 연간 50회 사용가능
- **비급여주사제** : 1년내 250만원 또는 50회중 둘중 하나라도 먼저 사용완료되면 365일까지 면책, 366일째 보상 재개
- **비급여MRI** : 1년내 300만원 사용완료되면 365일까지 면책, 366일째 보상 재개 (※횟수제한 없음)

질문 15: 통원의료비[선택형]의 보장내용 [16년1월~21년6월]?

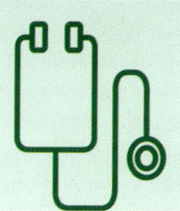

- **보장금액** : 급여 본인부담분(90%), 비급여항목(80%보상) : **30만원**
- **보상한도** : 발병일로부터 365일이내 외래 180일 [회당 1/1.5만/2만원 공제]
  처방조제 180건 [건당 8천원공제]
- **보장내용**
  1) **통원제비용** : 진찰료, 검사료, 방사선료, 투약처방료, 주사료, 이학, 정신요법료, 처치료, 재료대, 캐스트료, 지정진료비
  3) **통원수술비** : 수술료, 마취료, 수술재료비
  4) **약국약제비** : 의사의 처방전에 의한 약국의 약제비, 약사조제료

통원의료비 [선택형]

주1) 신체에 상해, 질병을 입고 병원또는 의원등에 통원하여 치료를 받는 경우, 통원의료비를 보상
  ■ 국민건강보험의 적용을 받는 경우 :
  통원 1일당 피보험자가 부담하는 1)통원제비용, 2)통원수술비, 3)약국약제비, 약사조제료

구분	외래	처방조제비
30만원 한도	25만원	5만원

  ■ 국민건강보험의 적용을 받지 못하는 경우
    위 1)~3)의 발생 통원의료비중 본인부담분의 40% 해당액을 1사고당/1질병당 30만원 한도
주2) 해외진료비 : 면책 / 산재, 자동차사고 : 본인부담금의 90%(80%) / 천재지변 : '보상'
주3) 치과/치질/한의원 : 급여부분의 본인부담금만 '보상', 비급여부분은 '면책'

고반물질30은 다모아미디어의 고유자산으로 무단 전제·복제 및 임의 사용시 저작권법 위반으로 5년이하의 징역 혹은 5천만원 이하의 벌금형이 부과됩니다.

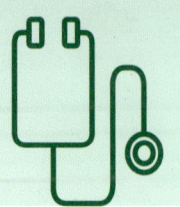

질문 16: 통원의료비중 요양기관별 공제금액이 왜? 다른가요?

통원의료비 공제금액 : 요양기관별

구분	항목	공제금액 표준화(09년10월~21년6월)	공제금액 4세대[21년7월~]
외래의료비 [외래제비용 및 외래수술비 합계]	의원,치과의원,한의원,조산원,보건소,보건의료원,보건지소,보건진료소 [병상수 30개↓]	1만원 (1회당)	급여(1만원 & 20%중 큰 금액) / 비급여(3만원 & 30%중 큰 금액)
	병원,치과병원,한방병원,요양병원 및 종합병원 [병상수 30개↑]	1만5천원 (1회당)	급여(1만원 & 20%중 큰 금액) / 비급여(3만원 & 30%중 큰 금액)
	종합병원 : 병상수 100개↑ + 9개이상 진료과목(전문의)	1만5천원 (1회당)	급여 (2만원 & 20%중 큰 금액) / 비급여(3만원 & 30%중 큰 금액)
	종합전문요양기관, 상급종합병원 : 보건복지부장관 지정 [47개] *	2만원 (1회당)	급여 (2만원 & 20%중 큰 금액) / 비급여(3만원 & 30%중 큰 금액)
처방조제비	약국,한국희귀의약품센터의 처방·조제	8천원 (1건당)	별도공제없음

상급종합병원 지정기관 현황 : 5기(24년~26년) [보건복지부장관 지정 : 47개]

※ 빨간색 : 신규지정병원

진료권역	지정기관명(가나다순)	진료권역	지정기관명(가나다순)
서울권(14)	강북삼성병원,건국대학교병원,경희대학교병원,고려대학교구로병원,삼성서울병원,서울대학교병원,강남세브란스병원,서울아산병원,중앙대학교병원,고려대학교외과대학부속병원(안암병원),서울성모병원,세브란스병원,한양대학교병원,이화여대의대부속목동병원	충남권(3)	단국대학교의의과대학부속병원,충남대학교병원, **학교법인건양교육재단건양대학교병원**
경기서북부권(4)	인천성모병원,길병원,인하대외과대학부속병원,순천향대학교부속부천병원	전북권(2)	원광대학교병원,전북대학교병원
경기남부권(5)	안산병원,분당서울대학교병원,아주대학교병원,한림대학교성심병원, **카톨릭대학교성빈센트병원**	전남권(3)	전남대학교병원,조선대학교병원,화순전남대학교병원
강원권(2)	연세대학교원주세브란스기독병원,강릉아산병원	경북권(5)	경북대학교병원,계명대학교동산병원,대구카톨릭대학교병원,영남대학교병원,칠곡경북대학교병원
충북권(1)	충북대학교병원	경남권(8)	경상국립대학교병원,동아대학교병원,부산대학교병원,성균관대삼성창원병원,양산부산대학교병원,울산대학교병원,인제대학교부산백병원, **고신대학교복음병원**

고반물질30은 다모아미디어의 고유자산으로 무단 전제·복제 및 임의 사용시 저작권법 위반으로 5년이하의 징역 혹은 5천만원 이하의 벌금형이 부과됩니다.

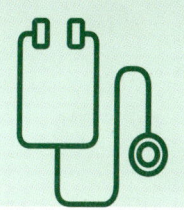

질문 17: 병원영수증[견본]으로 보험금을 얼마나 받을 수 있는지 설명해 주세요?

4세대실손(21년7월) 前_선택형 [표준형X]

국민건강보험 적용부분 [급여]	국민건강보험 비적용부분 [비급여]
조합부담분	본인부담분 비급여의 80%
본인부담분 급여의 90%	

본인부담분 급여의 90% + 비급여의 80%

4세대실손(21년7월) 後

국민건강보험 적용부분 [급여]	국민건강보험 비적용부분 [비급여]
조합부담분	본인부담분 비급여의 70%
본인부담분 급여의 80%	

본인부담분 급여의 80% + 비급여의 70%

병원영수증 [견본]
※ 상급병실차액은 임의로 45,000원으로 가정

☐ 외래 ☑ 입원 ☑ 퇴원 ☐ 중간)진료비 계산서 영수증

사업자등록번호	620-82-00000	상호	○○대학병원
사업장소재지	서울 강남구	성명	윤○○
환자등록번호	환자성명 병실	진료과목	진료기간
027157	11,207	내과	2월2일~2월28일

	항목			항목	
보험급여	진찰료	19,500	비급여	식대	195,500
	입원료	416,260		병실차액	45,000
	검사료	1,186,475		지정진료및기타	714,377
	방사선료	90,978		보철교정료등	
	투약료	153,246		검사료	335,000
	주사료	322,274		방사선료	625,000
	마취료			**본인부담금(B)**	**1,914,877**
	의학요법료			총진료비	4,202,387
	정신요법료			조합부담금	1,830,008
	처치및수술료	44,787		**본인부담금(A+B)**	**2,372,379**
	재료대	53,900		중간부담금	
	수혈료			할인금액	
	소계	2,287,510		미수금액	
	본인부담금(A)	**457,502**		외래예약금액	
	조합부담금	1,830,008		수납금액	2,372,379

▢ **4세대 실손 前**
급여(457,502원x90%)+비급여(1,914,877원x80%)+
상급병실차액(45,000원)=**1,988,653원** 지급

▢ **4세대 실손 後**
급여(457,502원x80%)+비급여(1,914,877원x70%)+
상급병실차액(45,000원)=**1,751,416원** 지급

의료실비

고반물질30은 다모아미디어의 고유자산으로 무단 전제·복제 및 임의 사용시 저작권법 위반으로 5년이하의 징역 혹은 5천만원 이하의 벌금형이 부과됩니다.

질문 18: 의료실비보험에서 어떤 항목이 면책조항인가요?

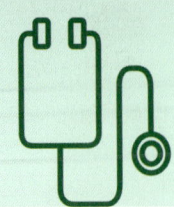

면책조항

- **정신과 질환 및 행동장애**(※치매:F00~03은 보상) : **F04~F99**
- ※ 다만 F04~F09,F20~F29,F30~F39,F40~F48,F90~F98은 **급여**에 해당하는 의료비는 **보상O**
- 여성생식기의 비염증성 장애로 인한 **습관성유산,불임인공수정관련 합병증** : **N96~N98**
- **임신/출산(제왕절개) 및 산후기** : **O00~O99**   ■ **선천성뇌질환** : **Q00~Q04**   ■ **비만** : **E66**
- **요실금**(N39:요실금/요로감염/단백뇨,R32:상세불명…) : **N39,R32**
- **직장,항문질환** 중 **비급여** 의료비 : **K60~K62,K64**
- **치과치료,치질(K00~K08),한방치료**시 **비급여** 의료비
- **건강검진,예방접종** ※단,보험사가 보상하는 질병치료를 목적으로 하는 경우(다쳐서 아파서 보상O)
- **영양제,종합비타민제,호르몬투여,보신용투약,친자확인진단,불임검사,불임수술,불임복원술,보조생식술(인공수정),성장촉진** 관련 비용
- **피로,권태,주근깨,다모,무모,백모증,딸기코,점,사마귀,여드름,노화현상으로 인한 탈모,발기부전,불감증,단순코골음,단순포경,검열반 등 안과질환**
- **의치,의수족,의안,안경,콘택트렌즈,보청기,목발,팔걸이보조기** 등 진료재료의 구입 및 대체비용
  ※보조기는 치료목적이라도 보상X
- **외모개선** 목적 치료비 (※단,생활에 불편주는건 보상 : 발에 티눈 : 보상O, 손등위 티눈 : 보상X)
- **의사의 임상적 소견과 관련없는 검사비용**
- **진료와 무관한 제비용**(※TV시청료,전화료,제 증명료 등)
- **자동차보험**(※공제를 포함) 또는 **산재보험**에서 보상받는 의료비
  ※단,본인부담 의료비는 입원 및 통원의료비에서 보상
- **인간면역바이러스(HIV)감염**으로 인한 치료비 ※단,혈액에 의한 HIV감염은 보상

★★★ '4세대실손(21년7월1일~)'에서 예외로 보상하는 의료비 ★★★
- 출생전(태아)가입시 선천성뇌질환(Q00~04)보장(급여限)
- 습관성유산,불임 및 인공수정 합병증(N96~N98)까지 보장(가입2년후,급여限)
- 피부질환 보장 확대 : 여드름,노화현상,모반,심한농양 발생 등(급여限)

한국질병사인분류 "앱" 활용요망!

질문 19

유병력자라서 의료실비보험 가입을 거절하는데 유병자가 가입할 수 있는 보험은 없나요?

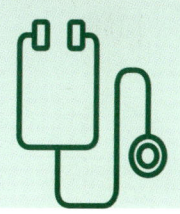

의료실비

3.2.5 ▶ 3.1, 3.2 ▶ 그냥 5 : 유병자보험 어디 까지 가나?
2018년도 한해에만 200만건 판매

3.2.5
- 3개월 : 의사로부터 진찰 또는 검사를 통해 ① 입원필요 ② 수술필요 ③ 추가검사(재검사) 소견 받은 적 있나?
- 2년 : 질병이나 상해사고로 입원 또는 수술(제왕절개포함)을 받은 사실이 있나?
- 5년 : 암진단 또는 암으로 인한 입원이나 수술받은 사실이 있나?

3.1
3.2
- 3개월 : 의사로부터 진찰 또는 검사를 통해 ① 입원필요 ② 수술필요 ③ 추가검사(재검사) 소견 받은 적 있나?
- 1년 : 질병이나 상해사고로 입원 또는 수술(제왕절개포함)을 받은 사실이 있나?
- 2년 : 질병이나 상해사고로 입원 또는 수술(제왕절개포함)을 받은 사실이 있나?

5
- 5년 : 암진단 또는 암으로 인한 입원이나 수술받은 사실이 있나? [※특정 손해보험사]
- 5년 : ①암②협심증③심근경색④간경화증⑤뇌졸중등 의료행위 받은 사실이 있나? [※특정 손해보험사]

간편심사보험을 설계하기전에 표준심사 상품으로 가입가능한지
무서류심사 질병 반드시 확인하는 노력 필요!!!

질문 20: 생명보험과 손해보험의 차이는?

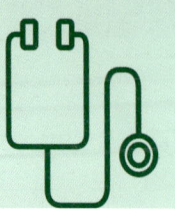

생명보험이 좋아??? 손해보험이 좋아???

생명보험	구분	손해보험
된다는것 만 준다 [열거주의]	보상방식	안되는 것 빼고 다 [포괄주의]
정액보장	기본원칙	실손보상 [비용담보]
4일부터 [120일한도]	입원비	첫날부터 [180일한도]
1~5종 [2007년이전 1~3종]	수술비	0대/00대, 1~5종
뇌혈관/급성심근경색증	뇌/심장질환	뇌/심혈관, 뇌졸중/급성심근
8~20가지 주요질병 보상	질병담보	거의 모든 질병 보상
활용 가능	목적자금	활용 한계
일반[재해,질병]사망 전부 보장	사망담보	담보별 차이
거의 없음	비용담보	매우 다양
정액/고액진단금/사망담보 유리	총평	비용/진단금/입원/수술 유리

고반물질30은 다모아미디어의 고유자산으로 무단 전제·복제 및 임의 사용시 저작권법 위반으로 5년이하의 징역 혹은 5천만원 이하의 벌금형이 부과됩니다.

목차 [질문 21~30번]

의료실비

21. 의료보험제도를 다른나라와 비교해 주세요?
22. 중복보상에 대해 자세히 설명해 주세요?
23. 상해[=재해]에 대해 자세히 설명해 주세요?
24. 상해(손보)와 재해(생보)의 차이에 대해 쉽게 설명해 주세요?
25. 고가의료장비는 어떤게 있고 의료실비보험에서 전부 보상되나요?
26. CT/MRI/PET는 어떻게 다른가요?
27. 수술의 정의에 대해 자세히 설명해 주세요?
28. 보험금청구권 소멸시효에 대해 사례를 들어 자세히 설명해 주세요?
29. 보험금을 청구했더니 현장조사(현장심사)나온다는데 어떻게 해야 하나요?
30. 의료실비보험으로 제대로 된 보장을 받으려면 어떻게 설계하면 될까요?

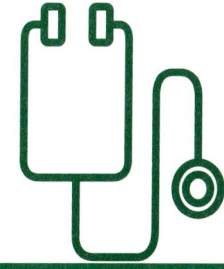

질문 21 의료보험제도를 다른나라와 비교해 주세요?

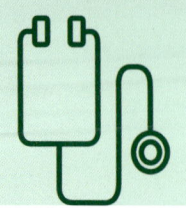

미국, 인도, 한국의 의료수가 비교

(단위 : 만원, %)

진료내용	미국	인도	한국	미국비교
위내시경	100만원	15만원	4만원	3.3%
대장내시경	160만원	33만원	5만원	3.0%
심혈관조영술	430만원	86만원	14만원	3.3%
관상동맥우회술	4,140만원	830만원	350만원	8.7%
승모판치환술	5,700만원	1,140만원	180만원	3.2%
맹장수술비	900만원	180만원	30만원	3.3%
담낭절제술	770만원	160만원	55만원	7.1%
용종절제술	270만원	54만원	14만원	5.3%
대퇴골치환술	3,700만원	430만원	43만원	1.2%
슬관절치환술	6,600만원	710만원	50만원	0.8%

출처 : http://www.incredibleindiahealtfcare.com/건강보험공단수가 2015)

미국의료보험료의 3%밖에 안되는 대한민국 의료보험은 "세계최고"
얼마 안되는 병원비 조차 돌려주는 의료실비보험을 가진나라? "대한민국"

고반물질30은 다모아미디어의 고유자산으로 무단 전제·복제 및 임의 사용시 저작권법 위반으로 5년이하의 징역 혹은 5천만원 이하의 벌금형이 부과됩니다.

 **질문 22** 중복보상에 대해 자세히 설명해 주세요?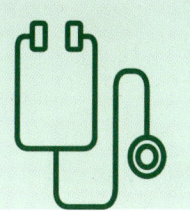

의료실비

 중복보상 안되는 3가지

◎ 손해보험 담보중

① 의료실비(상해, 질병)

② 운전자보험(벌금, 교통사고처리지원금, 변호사선임)의 비용손해

③ 배상책임담보등

※ 상기 3가지외의 모든 담보와 생명보험 전 담보는 중복보상 가능

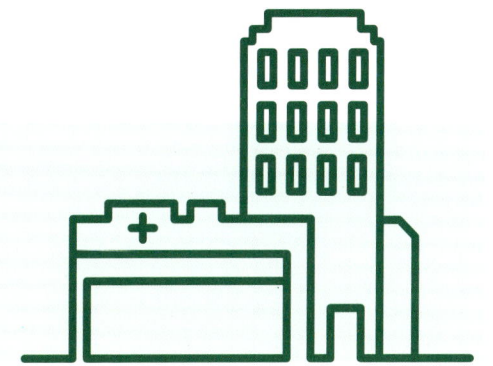

질문 23 상해[=재해]에 대해 자세히 **설명**해 주세요?

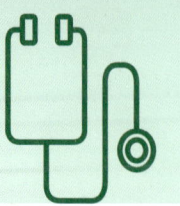

 **장기보험**에서 사용하는 상해

일반상해 : 생명보험사 "재해"와 비슷
모든 상해보상 ※질병,싸움등은 제외

교통상해 : ※오토바이제외
교통(엘리베이터,에스컬레이터,자전거,경운기포함)상해시보상

신주말교통상해 : 신주말(금,토,일,국경,근로자의 날 포함)
교통상해시보상

주말교통상해 :
주말(토,일,국경,근로자의 날 포함)교통상해시 보상

운전중교통상해 :
운전중(운전석에 탑승하여 핸들조작 가능한 상태)
교통상해시보상

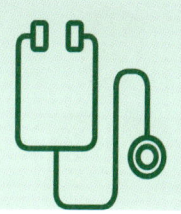

질문 24. 상해(손해보험)와 재해(생명보험)의 차이에 대해 알기 쉽게 설명해 주세요?

재해 [생명보험]	구분	상해 [손해보험]
우발적 외래사고	정의	급격·우연·외래의 사고로 신체(의수,의족,의안,의치등 신체보조장구 제외, 인공장기,부분의치 등 신체에 이식되어 그 기능을 대신 하는 경우 포함)에 입은 상해
질병분류 S00~Y84의 사고와 제1종 법정전염병(콜레라,페스트, 발진티푸스,장티푸스,디프테리아, 세균성 이질,황열)을 포함	범위	따로 정해놓지는 않고 사고가 급격·우연·외래의 사고인지 따져서 부책과 면책을 결정
반복적인운동, 결핍, 고의적 자해, 고의 또는 과실이 없는 의료사고, 질병 또는 체질적 요인이 있는 사람에게 경미한 외부요인에 의해 발생한 재해 등	면책사항	보험계약시기마다 차이가 있지만 고의사고,자해,자살,미수,심신상실 또는 정신질환,임신,출산관련 질병, 천재지변 등
보상	전쟁,핵·방사능, 타살,돌연사,의료사, 천재지변 등	면책

의료실비

고반물질30은 다모아미디어의 고유자산으로 무단 전제·복제 및 임의 사용시 저작권법 위반으로 5년이하의 징역 혹은 5천만원 이하의 벌금형이 부과됩니다.

질문 25

고가의료장비는 어떻게 있고 의료실비보험에서 전부 보상되나요?

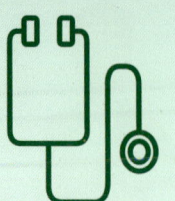

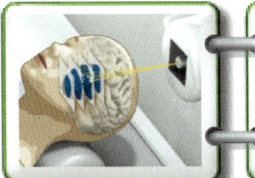

[중입자 암치료]
- 120미터크기의 초대형 중입자가속기 안에서 탄소입자를 빛의 속도의 80%수준까지 끌어올린 후 초당 10억개의 원자폭발을 일으키며 암세포만 파괴, 2~12회시술, 시간 3분(준비기간 포함 30분내)
- 췌장, 폐, 간, 두경부, 전립선, 직장, 뼈연부, 골육종암 후유증 없이 완치율 80%

[해외원정 치료비 : 8천~1억원(비급여)]

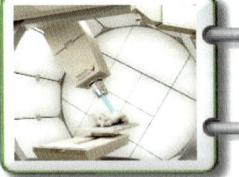

[양성자 암치료]
- 부작용 없는 꿈의 치료기로 양성자, 중입자를 생성, 빛의 60%속도로 암을 타격하여 정상조직의 부작용을 최소화함 (28~30회)
- 소아종양, 뇌, 척추(수)암, 두경부암, 흉부암, 복부암(간, 담도, 췌장, 후복막등) : 의료보험적용
- 서울삼성병원, 국립암센터에서 치료가능

[1회치료비 : 800만원(일부급여)]

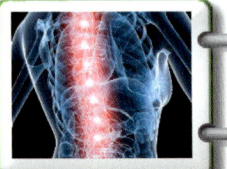

[고주파 열치료술]
- 경피적으로 종양에 전극을 삽입한 후 고주파를 발생시켜 열로 암세포를 태워 제거. 특히 3cm이하 간암 : 수술과 비슷한 효과
- 3cm종양 하나 태우는데 20분, 준비시간 포함 1~2시간 정도 소요
- 대장, 직장, 간, 담도, 골반 및 생식기 부위 치료에 탁월

[1회 치료비 : 350만원(비급여)]

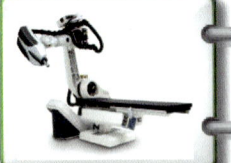

[사이버 나이프]
- 돋보기로 종이를 태우듯 로봇팔로 움직이는 신체변화에 따라 초점을 맞춰 방사선을 투여(※ 뇌수술장비인 '감마나이프'와 다름)
- 1~5회 치료시 종양제거가 가능
- 수술 불가능한 폐암, 췌장암, 전이된 암에 탁월 (생보 3종수술)

[목위 : 2~3백만원(급여)]
[목아래 : 1천만원(비급여)]

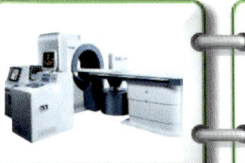

[하이프 나이프]
- 고강도 초음파를 종양에 집중으로 태워 제거하는 시술
- 암세포만 집중 공격으로 부작용이 없고 신체장기 보존
- 비수술치료, 절개와 출혈이 없음. 유방암의 경우 유방절제없이 치료 가능 (생보 2종수술)

[치료비 : 1천만원(비급여)]

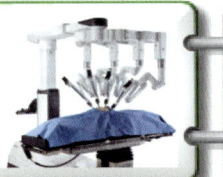

[로봇수술]
- 첨단 수술 기구인 로봇을 환자에게 장착하고 수술자가 원격으로 조종하여 시행하는 복강경/내시경 수술방법
- 복부암 : 3~6시간, 갑상샘 전절제술 : 3시간
- 위암, 갑상선암, 대장암, 직장암, 전립선암, 신장암, 자궁암, 난소암, 폐암, 식도암

[1회 수술비 : 1,500만원(비급여)]

질문 26: CT/MRI/PET는 어떻게 다른가요?

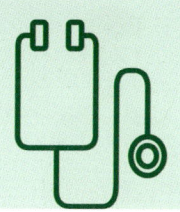

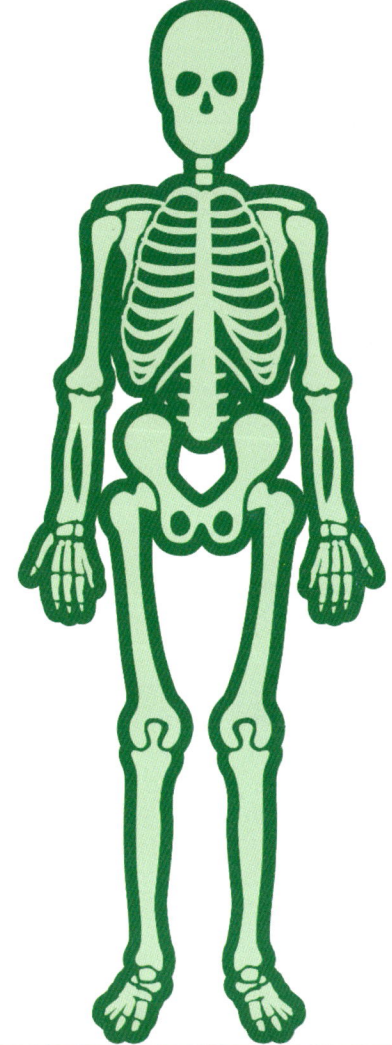

CT 뇌전산화 단층촬영술		MRI 핵자기공명
X선을 이용해 컴퓨터로 재구성한 영상	검사원리	자석과 전자기차를 이용해 컴퓨터로 재구성한 영상
검사기간 짧음, 3차원 영상도 가능	특 징	검사기간 오래걸림 X선을 사용하지 않아 비교적 안전
4만~20만	비 용	30~40만(건강보험 적용시) 30~110만(건강보험 미적용시)
평균 1~2분, 전신을 다 찍을때 10분	검사기간	30~50분
각종 폐질환, 췌장암, 담도암등 소화기관 질환, 뼈부위	진단부위	뇌질환, 척추질환, 근육질환, 골관절 질환
조영제 부작용이 있을수 있음. X선 노출이 많으므로 단기간 많은 검사는 인체에 해로움	주의사항	폐쇄공포증 환자는 검사에 어려움 겪음 인공심박동기와 인공내이를 이식받은 환자는 촬영 불가능

양전자 방출 단층촬영술

포도당과 같은 대사물질에 양전자를 방출하는 방사성 동위원소를 결합시켜 인체에 투여한뒤, 인체내에 일어나는 생화학적 변화를 관찰하여 단층촬영 영상으로 만드는 것을 말합니다.

각종 암과 뇌혈관, 치매, 심장질환등의 진단에 매우 정확하므로 많이 사용되고 있습니다.

하지만 한번의 전신촬영으로 크기 5mm이상의 여러 암을 한꺼번에 찾아낼 수 있으나 검사비용 50~120만원으로 고가인 것이 단점입니다.

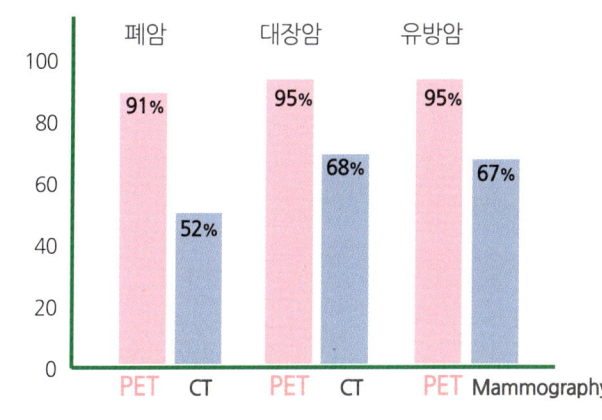

폐암: PET 91%, CT 52%
대장암: PET 95%, CT 68%
유방암: PET 95%, Mammography 67%

질문 27: 수술의 정의에 대해 자세히 설명해 주세요?

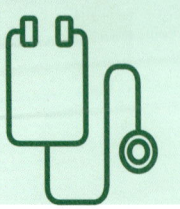

절단	특정부위를 잘라내는 것

절제	특정부위를 잘라없애는 것

흡인	주사기 등으로 빨아들이는 것

천자	바늘 또는 관을 꽂아 체액·조직을 뽑거나 약물을 주입하는 것

수술_용어풀이 [수술비 약관]

구분	용어풀이 (수술비 약관)
관혈수술	병변부위를 육안으로 직접 보면서 수술적 조작을 위해 **피부에 절개**를 가하고 **병변부위를 노출**시켜서 하는 수술
비관혈수술	**수술**을 할 때 피부나 점막을 베어 **피를 내는 일이 없는 수술**
경피적수술	**피부를 통해서 시술을 진행하는 것**[카테터를 이용한 **경피적풍선혈관성형술(스텐트)** 등] 예) 전신마취 후 가슴을 절개하는 수술이 아니라 부분 마취 후 피부를 통해 작은 관을 넣어 혈관을 넓히는 시술
근치수술	**일회의 수술**로 해당 질병을 완전히 **치유**할 수 있는 **수술**
관혈적 악성신생물 근치수술	관혈적 방법을 통해 악성신생물의 **원발병소**를 완전히 **절제, 적제, 적출**하고 혹은 **곽청술을 함께 실시**한 수술
악성신생물 근치 사이버나이프 정위적 방사선 치료	**선형가속기(LINAC)에서 발생**되는 가는 **방사선(Pencil beam)**들을 다양한 각도에서 **악성신생물**을 향해 집중적으로 조사하면서 동시에 **악성 신생물의 움직임을 병변 추적 장치**를 이용하여 **실시간**으로 **추적하면서 치료**하는 방법
두개내 신생물 근치 감마나이프 정위적 방사선 치료	정위 좌표계를 이용하여 **코발트 60 방사선 동위원소(Co_60)**에서 나오는 **감마선을 두개강 내의 신생물을 향해 집중 조사**함으로 두개를 열지 않고도 수술적 제어와 같은 효과를 내는 **치료**

수술의 정의에는 다음이 포함됩니다.
① 보건복지부 산하 **신의료기술평가위원회**로부터 안정성과 치료효과를 **인정 받은 최신 수술기법**
② 녹내장, 당뇨병성 망막병증 등 눈질환의 직접적인 치료를 목적으로 한 **레이저 수술**

수술의 정의에는 다음은 제외입니다.
① 흡인 ② 천자 등의 조치 ③ 신경의 차단
④ 미용성형 목적의 수술 ⑤ 피임 목적의 수술
⑥ 검사 및 진단을 위한 수술(생검,복강경검사 등)
⑦ 기타 수술의 정의에 해당되지 않는 시술

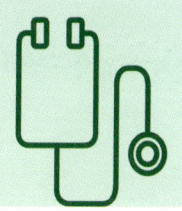

질문 28 보험금청구권 **소멸시효**에 대해 사례를 들어 자세히 설명해 주세요?

보험금청구권 | 보험료반환청구권 : 3년

법원 | 소멸시효의 '기산점' 보험금을 청구할 수 있다는 사실을 알았을 때부터 시작/각각의 사례마다 소멸시효가 언제 시작하는지 달리 판단

의료실비

사례1
A와 B보험사에 가입하고 절벽에서 떨어져 사망
보험사 : 자살이라고 상해사망 : 부지급 주장

A보험사에 소송을 걸어서 법원에서 자살이 아님을 이유로 승소하여 상해사망보험금을 지급받음

A보험사에 승소하고 **B사에 소송**을 하려 보니 '3년이 지났네"

3년이 되기 전에 B보험사에 '내용증명' 보내야만 '6개월'이라는 시간을 벌 수 있음

사례2
스쿠버다이빙을 1년에 1번정도 하다 사망
보험사 : 동호회활동이 아님에도 불구 : 부지급 주장

2018년1월에 사망, 죽은날로부터 4년이 경과한 시점
보험회사가 설명을 잘못하고 악의적으로 제대로 얘기 안하고 보험금 부지급은 부당하여 소멸시효가 지났음에도 지급요청

보험회사에서 잘못된 안내를 받았다 하더라도 3년이 경과하면 소멸시효가 완성되어 보험금 못받음

사례3
떡을 먹다가 갑자기 사망
보험사 : 계약당시 본인 자필서명 X : 부지급 주장

20년 납입후 자필서명 미이행으로 '계약무효'가 되면???
- 계약자 : 납입한 보험료 수령 : 20년치 다받을 수 없다
- 보험회사 : 보험금 지급할 필요 없다

계약자가 20년동안 납입한 보험료 전액을 돌려받지 못하고 최근 3년치 보험료만 반환 받음

사례4
교통사고로 식물상태로 치료 받던 중 5년뒤 사망
보험사 : 손해배상 청구권도 소멸시효 3년

"교통사고"의 경우 : 보험회사가 "지불보증이 끝나는 날부터 3년의 소멸시효가 시작됨"

※지불보증 : 교통사고시 가해자의 보험사에서 피해자의 병원비 일체를 대신 지불할 것을 보증하는 제도

'지불보증서'에 적혀있는 "마지막날부터 3년이내"에 보험금을 합의 할 수 있음

고반물질30은 다모아미디어의 고유자산으로 무단 전제·복제 및 임의 사용시 저작권법 위반으로 5년이하의 징역 혹은 5천만원 이하의 벌금형이 부과됩니다.

질문 29 보험금을 청구했더니 **현장조사(현장심사)** 나온다는데 어떻게 해야 하나요?

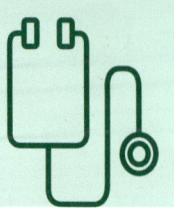

싸인 해줘도 되는 서류

① **개인정보열람동의서** : 개인정보법이 바뀌면서 **개인정보에 동의**해야 타인이 나에 대한 자료를 볼 수 있음

② **의무기록열람동의서** : 10년전 인감도장+인감증명서 있어야 열람가능 → (현재) 신분증사본+동의서 싸인

※ 보험사 약관 : 무조건 거부시 보험금 지급거절은 할 수 없지만 보험금 지급을 연기할 수 있다는 조항이 있음

만약, **소송시 '문서송부촉탁신청'** : **결국**은 **전부 제출**해야함

만약, 동의하기 싫으면 ① **어느병원에 갈건지** ② **동의서에 갈 병원 직접 기재** ③ **조사자와 동행하겠다고 요구**

절대 싸인 해주면 안되는 서류

① **국세청연말정산서류(사이트)** : 5년치 의료기관의 결제내용이 싹 다 나옴

② **국민건강보험공단열람자료** : 5년동안 의료보험적용분+건강보험공단적용분 다 나옴

③ **제3자 의료자문 또는 동시자문 동의서** : 의료자문은 보험사가 유리한 의료자문을 할 가능성이 크므로 내병원 주치의의 명확한 소견 또는 타대학병원에서 내가 유리한 자문을 받아낼 수 있다면 동의 거부

만약, **보험사에 자문동의 할 경우 우리에게 유리한 소견을 전부 다 첨부**해서 자문을 넘겨야 한다.

※ 보험사 약관 : 의견충돌시 제3의 의료기관에서 다시 전문의의 소견을 받아 볼 수 있다는 조항이 있음

④ **면책합의서** : 어떠한 경우라도 향후 민·형사상의 이의를 제기하지 않겠다는 합의서에 싸인하면 안됨

⑤ **부제소합의서** : 향후 추가적인 소송을 제기 않겠다는 합의서에 싸인하면 안됨

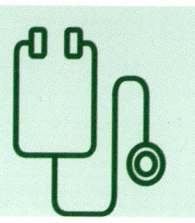

질문 30: 의료실비보험으로 제대로 된 보장을 받으려면 어떻게 설계 하면 될까요?

□ 사망/장해

[단위 : 만원]

사망/장해	사망				재해장해			질병장해		
	재해사망	교통재해	질병사망	암사망	100%	79%	3%	100%	79%	3%
보장목표	30,000	30,000	10,000	10,000	10,000	7,900	300	10,000	7,900	300

□ 진단비

[단위 : 만원]

진단비	고액암	일반암	뇌혈관질환	뇌출혈	뇌경색	심혈관질환	급성심근경색증	치매진단	골절진단	화상진단
보장목표	10,000	7,000	1,000	2,000	5,000	1,000	5,000	3,000	100	100

□ 실손/수술/입원

[단위 : 만원]

실손/수술/입원	실손		수술					입원		
	입원의료비	통원의료비	질병수술	재해수술	암수술	뇌혈관	허혈성심장	재해(일당)	질병(일당)	암
보장목표	5,000	30	100	100	500	500	500	10	10	15

□ 손해/기타

[단위 : 만원]

손해/기타	화재			운전자				일상생활배상책임	기타	
	주택손해	화재벌금	화재배상	벌금[대인]	벌금[대물]	변호사선임	교통사고처리		임플란트(개당)	자동차보험
보장목표	30,000	2,000	100,000	3,000	500	5,000	20,000	10,000	200	가입

※ 상기 '보장목표'는 저자인 개인적인 주관으로 설정한 목표이며, 계약자의 성향과 납입능력에 따라 조정이 필요
※ 경험상 '보장목표'는 보험설계사가 합리적인 목표를 설정 후 계약자와 조정하는 노력이 필요

고객이 반드시 물어보는 질문 30가지

손해보험 | 한국인 **사망원인 1위** | 암환자 130만명, 5년 생존율 65%
1억원은 준비해야 합니다.

암보험

암보험

고반물질30은 **다모아미디어**의 고유자산으로 무단 전제·복제 및 임의 사용시 저작권법 위반으로 5년이하의 징역 혹은 5천만원 이하의 벌금형이 부과됩니다.

목차

1. 암보험이 무엇이고 왜? 가입하나요?
2. 암에 대해 알기 쉽게 설명해 주세요?
3. 우리나라에서 암환자가 계속적으로 증가하는 이유는 뭔가요?
4. 암보험 가입시 유의해야 할 사항에는 어떤게 있나요?
5. 가장으로서 암에 걸리면 어떤 문제가 생기나요?
6. 암진단 후(後) 일어날 상황에 대해 구체적으로 설명해 주세요?
7. 내가 현재 가입하고 있는 암보험은 충분할까요?
8. 숫자로 보는 "암"
9. 우리나라 암사망 순위에 대해 설명해 주세요?
10. 암 치료시 의료비 준비는 얼마나 해야 할까요?
11. 암의 병기에 대해 구체적으로 설명해 주세요?
12. TNM병기에 대해 구체적으로 설명해 주세요?
13. 종양의 종류와 특성에 대해 설명해 주세요?
14. 암의 분류 [고액암/특정암/일반암/소액암/유사암/2차암/재진단암등]에 대해 구체적으로 설명해 주세요?
15. 암종류별 발생가능한 이차암은 어떤게 있을까요?
16. 암보험의 면책과 보상에 대해 설명해 주세요?
17. 암보험 가입은 손해/생명보험 어디가 좋은가요?
18. 우리나라 10대암 중 '종류별 치료비와 입원일수'는 어떻게 될까요?
19. 암 생존율, 5년생존율 및 발생순위가 중요하다던데 구체적으로 설명해 주세요?
20. 암은 가족력과 밀접한 관련이 있다면서요?
21. 암 발병율이 남자와 여자가 다르다고 하던데 구체적으로 설명해 주세요?
22. 남자와 여자의 암보험은 달라야 한다면서요?
23. 암보험도 갱신형과 비갱신형이 있다던데 어떤 게 좋을까요?
24. 암치료 방법에 대해 자세히 설명해 주세요?
25. 암치료 방법의 변천과정(=변천사)에 대해 자세히 설명해 주세요?
26. 표적항암제는 어떤게 있고 비용은 얼마나 들어가는지 구체적으로 설명해 주세요?
27. 면역항암제는 어떤게 있고 비용은 얼마나 들어가는지 구체적으로 설명해 주세요?
28. 2분이면 끝난다는 꿈의 암치료기인 중입자가속기에 대해 자세히 설명해 주세요?
29. 암은 국가에서 치료비를 대부분 지원 해준다면서요?
30. 국가에서 지원하는 '암검진 프로그램'에 대해 설명해 주세요?

목차 [질문 1~10번]

1. 암보험이 무엇이고 왜? 가입하나요?
2. 암에 대해 알기 쉽게 설명해 주세요?
3. 우리나라에서 암환자가 계속적으로 증가하는 이유는 뭔가요?
4. 암보험 가입시 유의해야 할 사항에는 어떤게 있나요?
5. 가장으로서 암에 걸리면 어떤 문제가 생기나요?
6. 암진단 후(後) 일어날 상황에 대해 구체적으로 설명해 주세요?
7. 내가 현재 가입하고 있는 암보험은 충분할까요?
8. 숫자로 보는 "암"
9. 우리나라 암사망 순위에 대해 설명해 주세요?
10. 암 치료시 의료비 준비는 얼마나 해야 할까요?

암보험

질문 01: 암보험이 무엇이고 왜? 가입하나요?

 암보험 없이 암에 걸리면 : '패가망신'

 암이 유전적 < 환경적 < 복불복(DNA변이) : 더 더욱 '필요'

 가장(家長)의 암발병 = 실직 = 경제적 사망 = 온가족의 고통

 고령화 · 독거 · 자녀부담 최소 : 암보험 필수

결론
- 암은 '치료의 문제'가 아니고 '돈의 문제'
- 암은 미리 막을 순 없지만 '암보험'은 '미리 준비' 할 수 있다!!!

고반물질30은 다모아미디어의 고유자산으로 무단 전제·복제 및 임의 사용시 저작권법 위반으로 5년이하의 징역 혹은 5천만원 이하의 벌금형이 부과됩니다.

질문 02 암에 대해 알기 쉽게 설명해 주세요?

암 = 보험없어 = 돈없어 죽는 병

암 ≠ 치료의 문제
암 = 돈의 문제

암보험

- ✓ 병 변(疒)에 바위 암(嵒)을 합쳐 종기(癌)이라고 쓰는데, **바위처럼 딱딱한 종기=암**이란 의미
- ✓ **먹고**(음식)/**마시고**(술)/**호흡**(공기오염,흡연등)이 **산(山)처럼 쌓이면 암**에 걸린다.
- ✓ 입구(口)3개인데 **하고싶은 말**이 **산(山)에 가로막혀 스트레스** 때문에 **암**에 걸린다.
- ✓ 암은 **3개의 구멍**으로 **돈**이 **빠져나가고 빚이 산더미**처럼 **쌓이는 질병**이 **암**이다.

고반물질30은 다모아미디어의 고유자산으로 무단 전제·복제 및 임의 사용시 저작권법 위반으로 5년이하의 징역 혹은 5천만원 이하의 벌금형이 부과됩니다.

질문 03 우리나라에서 **암환자**가 계속적으로 **증가**하는 **이유**는 뭔가요?

의료기술 발달 - 조기검진

의료실비보험의 일상화로- 조기검진

서구형 식생활

고령화 및 오염물질 증가

국가 암 검진 제도

고반물질30은 다모아미디어의 고유자산으로 무단 전제·복제 및 임의 사용시 저작권법 위반으로 5년이하의 징역 혹은 5천만원 이하의 벌금형이 부과됩니다.

질문 04: 암보험 가입시 유의해야 할 사항에는 어떤게 있나요?

보험료가 오르지 않는 비갱신형 암보험을 가급적 가입
- 1원도 오르지 않고 보험료 그대로 80~100세까지 보장받는 비갱신형 보험을 갱신형 보험과 비교

전이암, 재발암, 재진단암, 이차암 보장이 되는 상품 선택
- 암의 특성상 전이율, 재발율이 높으므로 전이, 재발, 재진단, 이차암 보장이 되는지 꼭 특약 확인

빨리 가입, 보장은 최대한 크고, 긴 상품 선택
- 암보험은 나이가 많을 수록 비싸고 가입하기 어려우므로 가입할 수 있을 때 최대한 크고 길게 가입

면책기간 및 감액기간 확인
- 면책기간(90일) □ 감액기간(91일~1~2년까지) : 보험가입금액의 50%만 지급

납입면제 조건 확인
- 암에 걸리면 경제활동 중단으로 암보험료가 큰 부담이 될 수 있으므로 '보험료납입면제' 상품 가입

보험금 청구 및 보상이 쉬운 회사를 선택
- 보험금 청구가 쉽고 보험금 지급도 신속히 잘 되는 보험사 선택

보험비교 필수
- 최근 로봇수술, 방사선, 중입자, 표적, 면역항암제 등 비급여 담보가 보장되는 보험사 최소 3~4개 비교 후 가입

암보험

고반물질30은 다모아미디어의 고유자산으로 무단 전제·복제 및 임의 사용시 저작권법 위반으로 5년이하의 징역 혹은 5천만원 이하의 벌금형이 부과됩니다.

질문 05: 가장으로서 암에 걸리면 어떤 문제가 생기나요?

암걸리면 10명중 8명이상 '직장 잃는다' : 84.1% 실직

오빠의 죽음과 아빠의 죽음은 완전 '다르다'

암치료비 + 생활비 + 소득보장 + 재발방지 치료비

가장의 암진단 = 경제적인 죽음 = 통장입금 중단

가장의 암 진단금 = 사망보험금만큼 준비해야 함

질문 06 : 암진단 후(後) 일어날 상황에 대해 구체적으로 설명해 주세요?

 치료포기 또는 충분한 치료 선택 : 비급여 의료비가 대부분 (최소 3천만원)

 생활비 (암발병으로 실직 84.1%) : 최소 2년치 생활비 (월3백X24개월=2년 7,200만)

 간병비 : 1년치 간병비 (일14만X30일X12개월=년5,040만)

 요양비 : 요양입원은 의료실비X (월300만X12=년3,600만원)

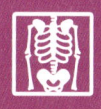 매년 추적 검진 : 매년 검진비 300만원

 2차암, 재발암, 전이암에 대비 : 로봇, 방사선, 중입자, 표적, 면역항암제 준비

 후유장해 : 암치료로 인한 질병후유장해와 납입면제 상품 준비

 기타질병에 대비 : 암치료로 약해진 몸, 새로운 질병에 대한 준비

암보험

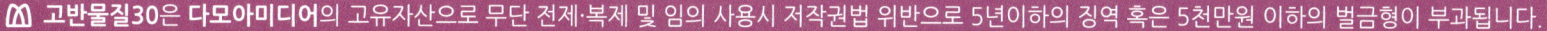

질문 07 : 내가 현재 가입하고 있는 암보험은 충분할까요?

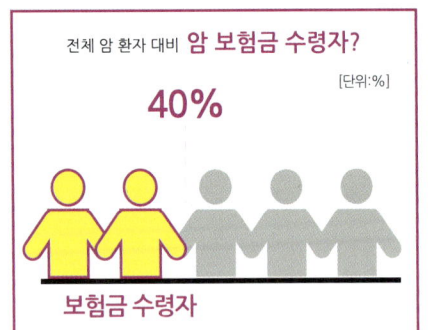

전체 암 환자 대비 암 보험금 수령자? 40% [단위:%] — 보험금 수령자

암환자중 **암보험 가입률 40%**

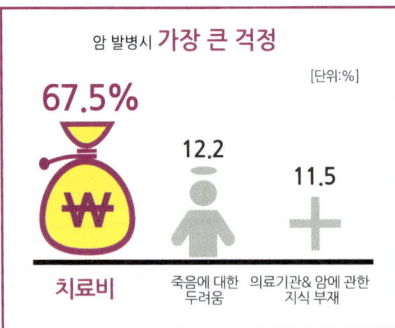

암 발병시 가장 큰 걱정 [단위:%]
- 치료비: 67.5%
- 죽음에 대한 두려움: 12.2
- 의료기관&암에 관한 지식 부재: 11.5

암발생시 죽음에 대한 두려움 보다 **치료비걱정 5배 이상**

암 종류별 암환자 1인비용 [단위:만원]
- 간암: 6,622
- 췌장암: 6,371
- 폐암: 4,657
- 담낭암: 4,254
- 위암: 2,685

고액의 치료비가 필요한 **간암치료비는 6천6백만원**

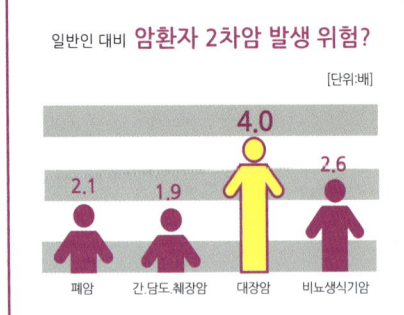

일반인 대비 암환자 2차암 발생 위험? [단위:배]
- 폐암: 2.1
- 간,담도,췌장암: 1.9
- 대장암: 4.0
- 비뇨생식기암: 2.6

암환자 **2차암 발병확률 일반인대비 무려 4배**

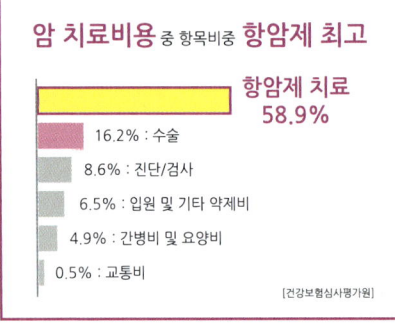

암 치료비용 중 항목비중 항암제 최고
- 항암제 치료: 58.9%
- 수술: 16.2%
- 진단/검사: 8.6%
- 입원 및 기타 약제비: 6.5%
- 간병비 및 요양비: 4.9%
- 교통비: 0.5%

[건강보험심사평가원]

암 치료비용 중 항목비중은 **항암제치료가 최고 비중**

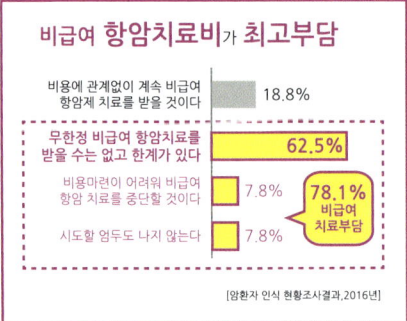

비급여 항암치료비가 최고부담
- 비용에 관계없이 계속 비급여 항암제 치료를 받을 것이다: 18.8%
- 무한정 비급여 항암치료를 받을 수는 없고 한계가 있다: 62.5%
- 비용마련이 어려워 비급여 항암 치료를 중단할 것이다: 7.8%
- 시도할 엄두도 나지 않는다: 7.8%

78.1% 비급여 치료부담

[암환자 인식 현황조사결과, 2016년]

암 치료 중 **항암치료비 "비급여"가 가장 걱정**

암환자 입원·통원 치료 비율
- 통원: 약92%
- 입원: 약8%
- 통원 암환자: 104만명
- 입원 암환자: 8만명

[서울아산병원, 전체암환자치료, 2021년]

최근암환자는 입,통원 중 **통원환자 92%**

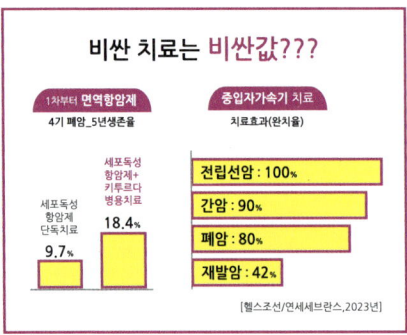

비싼 치료는 비싼값???
- 1차부터 면역항암제 4기 폐암 5년생존율: 세포독성 항암제 단독치료 9.7%, 세포독성 항암제+키트루다 병용치료 18.4%
- 중입자가속기 치료효과(완치율): 전립선암 100%, 간암 90%, 폐암 80%, 재발암 42%

[헬스조선/연세세브란스, 2023년]

비싼치료는 **비싼값(효과) 탁월**

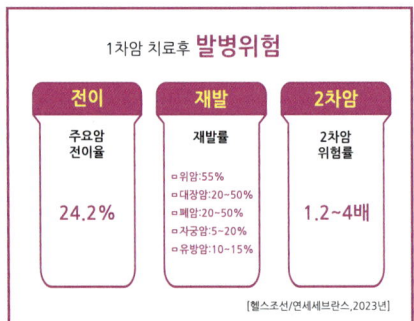

1차암 치료후 발병위험
- 전이: 주요암 전이율 24.2%
- 재발: 재발률 (위암:55%, 대장암:20~50%, 폐암:20~50%, 자궁암:5~20%, 유방암:10~15%)
- 2차암: 2차암 위험률 1.2~4배

[헬스조선/연세세브란스, 2023년]

암환자 1차 치료후 **전이·재발·2차암 발병비율 월등히 높다**

고반물질30은 다모아미디어의 고유자산으로 무단 전제·복제 및 임의 사용시 저작권법 위반으로 5년이하의 징역 혹은 5천만원 이하의 벌금형이 부과됩니다.

질문 08 : 숫자로 보는 "암"

암보험

1위	**8.1만**	**27.8만**	**30년**	**38.1%**
국내 사망원인 1위	매년 암 사망자 수	매년 신규 암환자 수	암발생부터 확증까지	기대수명까지 생존시 암발생확률

55세	**72.1%**	**84.1%**	**200가지**	**243만**
암발병 높아지는 나이	암환자 5년 상대생존율	암 발생후 실직률	현재 알려진 암종류	암유병자 수(2023년)

760명	**2061만**	**6622만**	**7000건**	**1억원**
하루 신규 암환자 수	평균 암치료 환자 부담액 2,877만원 중 비급여 항암제 비용	간암 치료비	연간 암 오진 수 남자 : 폐암 多 여자 : 유방암 多	바람직한 암보험 최소 가입금액

[중앙암등록본부, 2023년]

고반물질30은 다모아미디어의 고유자산으로 무단 전제·복제 및 임의 사용시 저작권법 위반으로 5년이하의 징역 혹은 5천만원 이하의 벌금형이 부과됩니다.

질문 09 우리나라 **암사망 순위**에 대해 설명해 주세요?

Cancer

암종별 사망자 수

[단위 : 명]

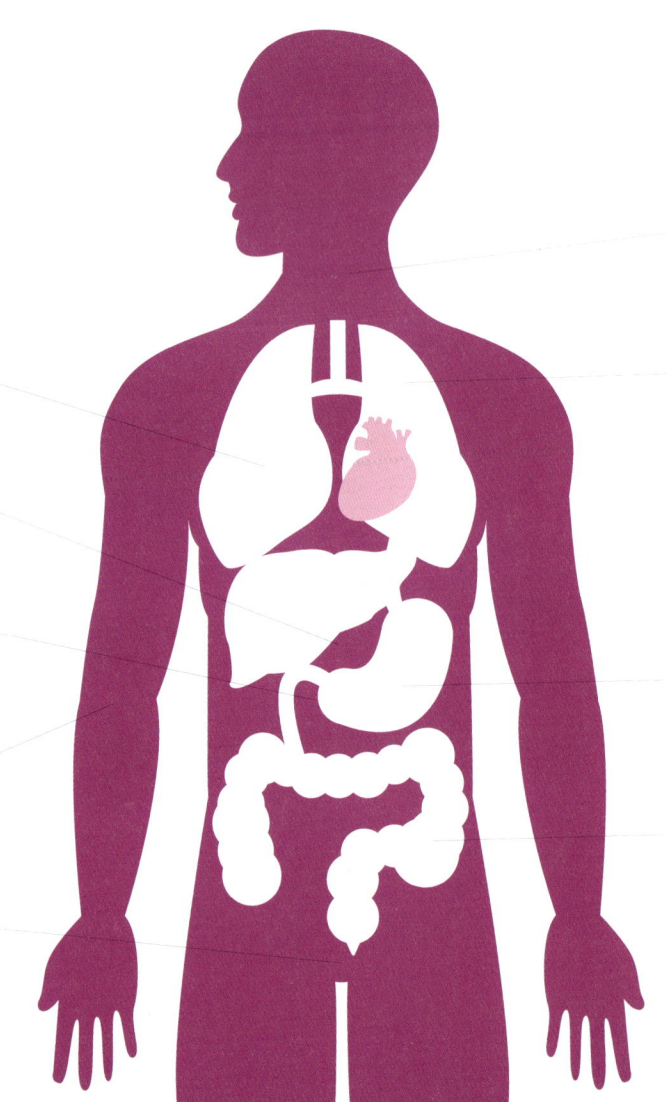

유방암 (7위) **2,878**	1,457 식도암 (8위)
담낭 및 기타담도암 (6위) **5,217**	**18,584 폐암 (1위)**
췌장암 (4위) **7,325**	**10,212 간암 (2위)**
백혈병 (10위) **2,034**	7,147 위암 (5위)
전립선암 (8위) **2,383**	**9,164 대장암 (3위)**

[2022년 주요 암종별 사망률, 국가암정보센터]

고반물질30은 다모아미디어의 고유자산으로 무단 전제·복제 및 임의 사용시 저작권법 위반으로 5년이하의 징역 혹은 5천만원 이하의 벌금형이 부과됩니다.

질문 10: 암 치료시 의료비 준비는 얼마나 해야 할까요?

암진단금 최소 1억원

암진단	일반암 5,000만원 / 고액암 10,000만원
입원	일당 10만원
수술	회당 300만원
항암	회당 100만원
한방치료	회당 100만원
재진단암	재진단 회당 3,000만원
장애	질병후유 5,000만원
암사망	10,000만원

암진단금이 충분하다면…

- **비급여약제비** — 건강보험 미적용
  면역항암제 약값 한달 약 1,000만원
  ※ 신약 대부분 비급여

- **양성자 치료** (효과↑ 부작용↓) — 건강보험 적용
  10~30회 치료에 1,500만~3,000만원
  ※ 유방암, 전립선암 제외

- **중입자선 치료** (국내도입_연세세브란스병원) — 건강보험 미적용
  3주, 총12회 약 5~5.5천만원

암보험

고반물질30은 다모아미디어의 고유자산으로 무단 전제·복제 및 임의 사용시 저작권법 위반으로 5년이하의 징역 혹은 5천만원 이하의 벌금형이 부과됩니다.

목차 [질문 11~20번]

11. 암의 병기에 대해 구체적으로 설명해 주세요?

12. TNM병기에 대해 구체적으로 설명해 주세요?

13. 종양의 종류와 특성에 대해 설명해 주세요?

14. 암의 분류 [고액암/특정암/일반암/소액암/유사암/2차암/재진단암등]에 대해 구체적으로 설명해 주세요?

15. 암종류별 발생가능한 이차암은 어떤게 있을까요?

16. 암보험의 면책과 보상에 대해 설명해 주세요?

17. 암보험 가입은 손해/생명보험 어디가 좋은가요?

18. 우리나라 10대암 중 '종류별 치료비와 입원일수'는 어떻게 될까요?

19. 암 생존율, 5년생존율 및 발생순위가 중요하다던데 구체적으로 설명해 주세요?

20. 암은 가족력과 밀접한 관련이 있다면서요?

질문 11. 암의 병기에 대해 구체적으로 설명해 주세요?

암의 병기

암병기의 표기 : 국제암위원회에서 작성한 TNM 병기 분류를 따름 [T : Tumor (종양)　N : Node (림프절=임파선)　M : Metastasis (전이)]	T : 원발암이 조직의 심층부에 파고든 정도, 종양의 개수, 크기 N : 원발암의 림프절 전이 여부, 정도 M : 암의 원격 전이여부

암 TNM 병기 분류

병기분류	T1	T2	T3	T4
N0	1기		2기	
N1 N2 N3	3기			
M1	4기			

암의 단계별 분류 ['신장암'의 경우]

※ 암의 종류마다 TNM병기 분류법에 차이가 有

대분류	소분류	예시		비고
1기	1a기	T1N0M0	종양 3cm 이하	□ 병기 : 1기(1a기,1b기),2기(2a기,2b기)
	1b기	T2N0M0	종양 3cm 이상	□ 종양 크기 : 작으면 a, 크면 b
2기	2a기	T1N1M0		□ 림프절 전이,수량 : N0,N1,N2,N3
	2b기	T2N1M0, T3N0M0		□ 원격전이 여부 : M0, M1
3기	3a기	T1N2M0, T2N2M0, T3N1M0, T3N2M0		□ TNM의 값은 숫자가 커질수록 더 넓은 범위를 표현
	3b기	TallN3M0, T4NallM0		
4기	-	TallNallM1		

암보험

고반물질30은 다모아미디어의 고유자산으로 무단 전제·복제 및 임의 사용시 저작권법 위반으로 5년이하의 징역 혹은 5천만원 이하의 벌금형이 부과됩니다.

질문 12 : TNM병기에 대해 **구체적**으로 **설명**해 주세요?

TNM 병기 예시

TNM병기		정의
원발종양의 크기 (T병기)	T0	악성종양의 모습을 보이나, 점막 또는 상피에 국한, 원발종양無, 기저막을 침범X
	Tis	점막내암(제자리암=상피내암)
	T1	원발된 장기에 국한 - 병변, 종양이 가동성이 있으며, 주위 조직에 침범X
	T2	종양의 크기가 2~5cm정도(근육층 국한)
	T3	종양의 크기가 T2보다 크나, 장기 내에 국한(장막하층 침윤)
	T4	주변조직과 유착 및 침윤한 상태(인접 장기 침윤)
림프절의 전이여부, 수량 (N병기)	N0	림프절 병변의 증거가 없음
	N1	촉지되고 가동성이 있으며, 첫번째 위치에 제한되어 있는 림프절(1~2개)
	N2	현미경적으로 침범의 증거가 있고, 임상적으로 서로 엉켜있음(3~5개)
	N3	완전고정, 피막을 통과해 뼈, 혈관, 피부, 신경등에 완전 고정(6개)
원격전이 여부 (M병기)	M0	원격전이 없음
	M1	원격전이 있음

실무로 보면?

- 병기
  : 1기(1a기, 1b기), 2기(2a기, 2b기)로 나눔
- 종양 크기 : 작으면 a, 크면 b
- 림프절 전이, 수량 : N0, N1, N2, N3
- 원격전이 여부 : M0, M1

- 특정한 예후 정보를 제공하기 위하여 세부분류가 사용
  예1) 유방암 : T1mi, T1a, T1b, T1c, N2a등
  예2) 전립선암 : M1a, M1b, M1c

T병기 [원발종양의 크기]

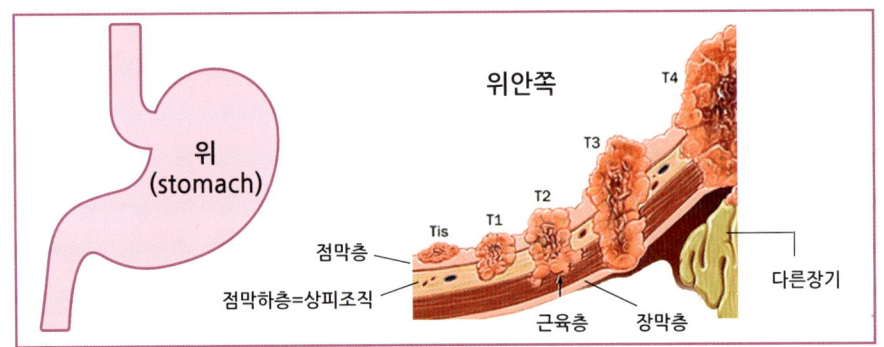

N병기 [림프절의 전이]

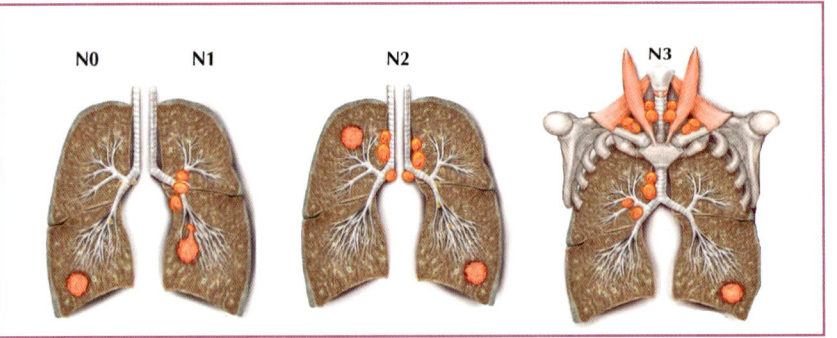

질문 13

종양의 종류와 특성에 대해 설명해 주세요?

종류 & 특성 비교

특성	양성종양	경계성종양	악성종양
성장속도	-천천히 자람 -성장이 멈추는 휴지기를 가질 수 있음		- 빨리 자람 - 저절로 없어지는 경우는 매우 드묾
성장양식	- 점점 커지면서 성장하지만 범위가 한정적 - 주위 조직에 대한 침윤은 없음		- 주위 조직으로 파고들면서 성장함
피막 형성 여부	- 피막이 있어 종양이 주위로 침윤하는 것 방지 - 피막이 있어 수술적 절제가 쉬움		- 피막이 없어 주위 조직으로 침윤이 잘 일어남
세포의 특성	- 분화가 잘 되어 있음 - 분열상은 없거나 적음 - 세포가 성숙함		- 분화가 잘 안 되어 있음 - 정상 또는 비정상의 분열상이 많음 - 세포가 미성숙함
인체에의 영향	- 인체에 거의 해가 없음		- 항상 인체에 해가 됨
전이 여부	- 없음		- 흔함
재발 여부	- 수술로 제거시 재발 거의 없음		- 수술 후 재발 가능함
예후	- 좋음		- 종양의 크기, 림프절 침범여부, 전이여부에 따라 달라짐

양성종양 | 악성종양
↓
인접한 조직을 침범
↓
혈관으로 들어가 타 장기로 전이

※ **경계성종양** :
  ① 종양이 양성이냐, 악성이냐의 판정은 조직검사를 해야 알 수 있는데 양성인지 악성인지 확실히 구별이 되지 않고 양성과 악성의 특성을 동시에 갖는 경우
  ② 경계성종양은 지금은 양성으로 위험하지 않지만 언제든지 악성으로 바뀔 가능성이 있으므로 발견 즉시 안전하게 제거하는게 좋음

암보험

ⓜ **고반물질30**은 **다모아미디어**의 고유자산으로 무단 전제·복제 및 임의 사용시 저작권법 위반으로 5년이하의 징역 혹은 5천만원 이하의 벌금형이 부과됩니다.

질문 14

암의 분류 [고액암/특정암/일반암/소액암/유사암/2차암/재진단암등]에 대해 구체적으로 설명해 주세요?

암의 분류

고액암(생보) 특정암(손보)	생보와 손보가 혼용되어 사용, 보통 **의료비가 고액**으로 들어가는 **암** ※ 5대고액암 : 뇌암, 골수암, 혈액암(림프암)[3대고액암], 식도암, 췌장암 (※ 위,간,폐암은 아님, 보험사마다 다름)
일반암	**고액암**도 **소액암**도 아닌 **일반암**을 통칭
소액암=유사암	생김새는 암을 닮았으나, **암이 아닌 병변을 가진 암** ※ 갑상선암, 기타피부암, 경계성종양, 제자리암, 대장점막내암등 (※보험사마다 적용기준 다름) ※ 남녀생식기암(남성 : 전립선암, 방광암 / 여성 : 자궁암, 방광암, 유방암)과 대장점막내암을 '**일반암**'으로 적용하는 회사도 있음
제자리암=상피내암	암이 다른 곳에 전이되지 않고 **피부의 상피층에만 제한적으로 발생하는 암**
2차암	**암걸린 사람**이 완치 후 또 **다른부위**에 '**새로이 생긴 암**'을 말함, '**암재발**'과 다름

생존률 증가로 달라진 암보장

유사암	소액암	특정암(손보)	고액암(생보)	이차암	재진단암
- 기타피부암 - 갑상선암 - 대장점막내암 - 제자리암 - 경계성종양	- 전립선암 - 자궁암 - 유방암 - 방광암 - 난소암	- 뼈 및 관절연골암 - 뇌·중추신경계통암 - 림프/조혈관련암 - 식도암 - 췌장암	- 뼈 및 관절연골암 - 뇌·중추신경계통암 - 림프/조혈관련암	- 이차암 - 전이암	- 새로운 암 - 전이암 - 재발암 - 잔존암

〈출처 : 세일즈폭발Ⅱ〉

질문 15

암종류별 발생가능한 이차암은 어떤게 있을까요?

암종별 발생가능 2차암

- ■ 원발암
- ■ 일반인보다 발생 위험 2배 이상 높음
- ■ 일반인보다 발생 위험 2배 이내 증가
- ■ 발생가능 암

※ 2차암 : 기존 암세포와는 전혀 다른 암세포가 다른 신체부위에 새로 발생하는 암

암보험

갑상샘암
위암·대장암·유방암·전립선암
두경부암·신장암

유방암
위암·폐암·대장암·갑상샘암
자궁내막암·난소암·신장암

폐암
위암·갑상샘암
두경부암·신장암·방광암

위암
대장암 / 소장암

대장암
위암·전립선암·갑상샘암
유방암·자궁경부암
소장암·자궁내막암·난소암·신장암

자궁경부암
폐암 / 위암·대장암
두경부암·항문암·신장암·직장암

전립선암
갑상샘암 / 신장암

고반물질30은 다모아미디어의 고유자산으로 무단 전제·복제 및 임의 사용시 저작권법 위반으로 5년이하의 징역 혹은 5천만원 이하의 벌금형이 부과됩니다.

질문 16: 암보험의 면책과 보상에 대해 설명해 주세요?

 면책기간 : 90일

 1년미만 암진단 시 : 가입금액의 50% 지급 [손보]
2년미만 암진단 시 : 가입금액의 50% 지급 [생보]

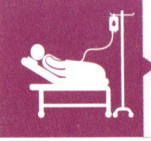 암입원비 : 첫날부터[손보] 또는 4일이상[생보]

 암수술비 : 회당 또는 1회한 [※회당 상품이 유리]

질문 17: 암보험 가입은 손해/생명보험 어디가 좋을까요?

암진단비
암진단비 : 생보 [2년미만 50%] / 손보 [1년미만 50%]
※ 보험사마다 다를 수 있고 향후 변동될 수 있음

암입원비
암입원비 : 생보 4일부터 / 손보 첫날부터
※ 보험사마다 다를 수 있고 향후 변동될 수 있음

고액암 진단비
고액암진단비
- 생보 : 3대고액암(뇌암, 골수암, 혈액암)
- 손보 : 5대고액암(뇌암, 골수암, 혈액암)+식도암, 췌장암

※ 보험사마다 다를 수 있고 향후 변동될 수 있음

암보험은 손보, 생보 상품이 매우 다양하여 단편적으로 좋고 나쁨을 판단하기 어려움
고객이 원하는 내용을 정확히 숙지 후 **고객의 상황**에 **가장 적합한 가입설계가 필요**

암보험

질문 18 우리나라 **10대암** 중 '종류별 치료비와 입원일수'는 어떻게 될까요?

10대암 치료비 및 평균 입원일수

구분	주요수술명	치료비	평균입원일수
간암	간절제술	6,622만	20일
췌장암	췌장절제술	6,371만	25.3일
폐암	폐절제술(흉강경이용)	4,657만	18.3일
담낭암	담낭암절제술	4,254만	19일
위암	위절제술	2,685만	14.5일
대장암	직장절제술	2,352만	22.9일
유방암	유방절제술	1,768만	7.4일
자궁경부암	자궁적출술	1,612만	11.9일
방광암	방광수술(요도내시경)	1,464만	5.9일
갑상선암	갑상선절제술	1,126만	4.8일

〈출처 : 2021년 국가암등록통계, 2023년〉

질문 19

암 생존율, 5년생존율 및 발생순위가 중요하다던데 구체적으로 설명해 주세요?

 10대암 생존율, 5년생존율 및 발생순위

구분		생존율	5년생존율	발생순위(남녀전체)
갑상선암		1위	100.1%	1위(35,303명)
대장암		6위	74.3%	2위(32,751명)
폐암		8위	38.5%	3위(31,616명)
위암		5위	77.9%	4위(29,361명)
유방암		3위	93.8%	5위(28,861명)
전립선암		2위	96.0%	6위(18,697명)
간암		7위	39.3%	7위(15,131명)
췌장암		10위	15.9%	8위(8,872명)
담낭암		9위	28.9%	9위(7,617명)
신장암		4위	86.4%	10위(6,883명)

〈출처 : 2021년 국가암등록통계, 2023년〉

질문 20: 암은 **가족력**과 밀접한 관련이 있다면서요?

2017년 3월 26일 美존스홉킨스대 연구팀

Genes, environment, and
"bad luck" [복불복]
암은 운명? "DNA 문제탓"

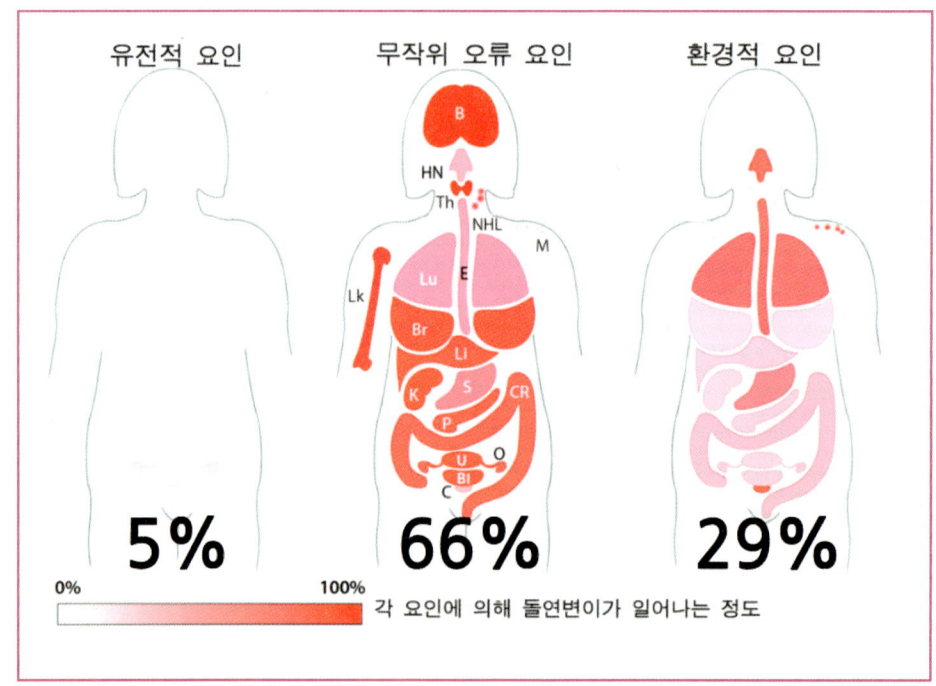

암이 **DNA복제실수**로 **발병**한다면, **"조기진단"** 과 **"암보험 가입"** 더욱 더 **절실**하다.

고반물질30은 다모아미디어의 고유자산으로 무단 전제·복제 및 임의 사용시 저작권법 위반으로 5년이하의 징역 혹은 5천만원 이하의 벌금형이 부과됩니다.

목차 [질문 21~30번]

21. 암 발병율이 남자와 여자가 다르다고 하던데 구체적으로 설명해 주세요?
22. 남자와 여자의 암보험은 달라야 한다면서요?
23. 암보험도 갱신형과 비갱신형이 있다던데 어떤 게 좋을까요?
24. 암치료 방법에 대해 자세히 설명해 주세요?
25. 암치료 방법의 변천과정(=변천사)에 대해 자세히 설명해 주세요?
26. 표적항암제는 어떤게 있고 비용은 얼마나 들어가는지 구체적으로 설명해 주세요?
27. 면역항암제는 어떤게 있고 비용은 얼마나 들어가는지 구체적으로 설명해 주세요?
28. 2분이면 끝난다는 꿈의 암치료기인 중입자가속기에 대해 자세히 설명해 주세요?
29. 암은 국가에서 치료비를 대부분 지원 해준다면서요?
30. 국가에서 지원하는 '암검진 프로그램'에 대해 설명해 주세요?

질문 21: 암 발병율이 남자와 여자가 다르다고 하던데 구체적으로 설명해 주세요?

남성암은 급격하며 늦게온다.
여성암은 폐경전후 일찍온다.

남성암은 60대이후 발병

남성의 암은 여성에 비해 60대이후에 발병률이 급격히 높아지는 특징

아플때 당신을 지켜줄 아내가 있습니까?
그렇다면 당신이 아플때 당신곁을 지켜줄 **아내를 위해 암보험을 준비**해야 합니다

남성들은 인생후반부,
즉 **노년의 암**에 대해 빈틈없이 준비

여성암은 50세이전 발병

여성의 암발병률 1위와 2위암인
갑상선암과 유방암은
50세이전에 많이 발생

에스트로겐이라는 호르몬의 영향을 많이 받기 때문

여성들은 암보험을
최대한 빨리 가입

고반물질30은 다모아미디어의 고유자산으로 무단 전제·복제 및 임의 사용시 저작권법 위반으로 5년이하의 징역 혹은 5천만원 이하의 벌금형이 부과됩니다.

질문 22 남자와 여자의 암보험은 달라야 한다면서요?

55세 이전까지는 여성이
55세 이후부터는 남성이

암에 더 많이 걸린다!

55세 이전까지는 **여성**이 **최대한 빨리** 가입
55세 이후부터는 **남성**이 **충분히 길게** 가입

남자 : '비갱신형'으로 60세이후담보로 **충분히 길게** 가입
여자 : '갱신형'으로 55세이전담보로 **최대한 크게** 가입

암보험

질문 23 암보험도 **갱신형**과 **비갱신형**이 있다던데 어떤 게 좋을까요?

비갱신형 VS 갱신형

비갱신형	갱신형
보험기간에 동일한 보험료를 납부하는 것으로 손해율이 올라 가더라도 동일한 보험료를 납부	보험기간 손해율에 따라서 상승되거나 하락된 변동보험료를 납부
만기까지 보험료 변동 없음 계획적인 재무설계 가능 시간 지날수록 발생율 증가 — **고객 이익**	초기 보험료가 저렴 갱신시점에 보험료 인상 가능 손해율과 비례 : 보험료 변동 — **고객 손해**

보험료차이 [비갱신형 VS 갱신형]
(※기준 : A보험사, 암진단비 3천만원 보장)

"朝三暮四" 암보험은 비갱신형이 다소 유리합니다.

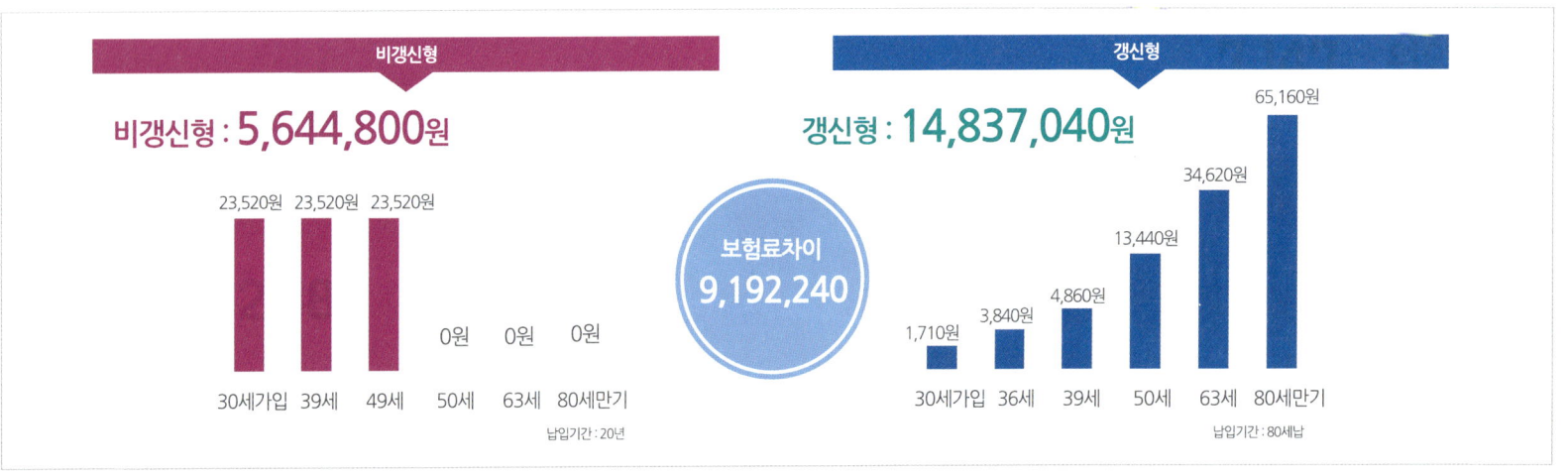

비갱신형 : 5,644,800원 (30세가입 23,520원 / 39세 23,520원 / 49세 23,520원 / 50세 0원 / 63세 0원 / 80세만기 0원, 납입기간: 20년)

갱신형 : 14,837,040원 (30세가입 1,710원 / 36세 3,840원 / 39세 4,860원 / 50세 13,440원 / 63세 34,620원 / 80세만기 65,160원, 납입기간: 80세납)

보험료차이 9,192,240

질문 24

암치료 방법에 대해 자세히 설명해 주세요?

수술 가능

- **절개술** : 암부위와 주변 조직을 절제
- **복강경수술** : 작은 구멍을 통해 복강 내의 종양을 제거
- **로봇수술** : 로봇을 이용하여 복강경 수술을 하는 방법

수술 전 선행 항암요법
미세전이암 제거
- 항암요법(2~3개월)
- 방사선요법(주5회/5~6주)
- 항암+방사선요법

근치적 치료 수술
수술방법 선택
- 개복,개흉,개두 수술
- 복강경,흉강경 수술
- 로봇수술
- 방사선수술(감마,사이버)

수술 후 보조 항암요법
재발방지 목적
- 항암요법(6개월~3년)
- 방사선요법(주5회/5~8주)
- 항암+방사선요법

항암치료 방법 선택
- 1세대 : 세포독성항암제(6개월)
- 2세대 : 표적항암제(1~3년)
- 3세대 : 면역항암제(1년~)
  ※ 단독 또는 병행 사용

방사선치료 방법 선택
- 2세대 : 3차원입체조형/세기조절방사선
- 3세대 : 양성자(삼성서울병원/국립암센터)
- 4세대 : 중입자(연세세브란스병원)

통원치료를 위한 거주지 선택

 자택 또는   요양병원 또는   환자방

수술 불가능

- **방사선치료** : 암세포에 방사선을 조사하여 암세포를 죽이고 증식을 막는 치료
- **항암제치료** : 암세포를 죽이거나 성장을 억제하는 약물 치료
- **면역치료** : 환자의 면역체계를 활성화하여 암세포를 공격하도록 하는 치료

고식적치료
증상완화/삶의 질 향상/생명연장
- 치료에 기한 없음
  - 1차 항암/2차항암/N차항암
- 신약 임상연구 참여
- 고식적 방사선치료(2~3주)

근치적 항암치료
혈액암
- 치료기간 : 4~6개월
- 표적항암제
- 면역항암제(PD1,PD-L1,CAR-T)

암치료비용을 "요약하면"

직접치료비용	간접비용	두번째 암 (재발,전이,2차암) 치료비용	장해비용
· 로봇수술 · 표적/면역항암제 · 양성자/중성자치료 · 통원치료	· 요양병원이용 · 면역치료 · 치료부대비용 · 부작용관리	· 표적/면역항암제 · 중입자치료 · 통증완화치료 · 요양병원이용	· 재활치료 · 장해관리 · 통원치료 · 영구소득상실

집중치료 → 암 투병 연장전 →

암보험

고반물질30은 다모아미디어의 고유자산으로 무단 전제·복제 및 임의 사용시 저작권법 위반으로 5년이하의 징역 혹은 5천만원 이하의 벌금형이 부과됩니다.

질문 25: 암치료 방법의 변천과정(=변천사)에 대해 자세히 설명해 주세요?

구분		1세대치료법	2세대치료법	3세대치료법	4세대치료법
치료1 (수술)	수술치료	개복/개흉/개두	복강경/흉강경/대뇌내시경	내시경/카테터	로봇/하이푸/감마/사이버나이프
치료2 (약물)	약물치료	**화학항암** 약물 치료	**표적항암** 약물 치료	**면역항암** 약물 치료	**대사항암** 약물 치료
	치료방법	**화학항암제** 투여	암세포만 표적으로 공격하는 **표적항암제** 투여	인체면역세포가 **면역체계를 자극**하여 암세포를 잘 인식하도록 하여 암세포 제거	**암세포를 굶겨 죽여**서 암세포 제거
	특징	암세포 뿐 아니라 정상세포도 공격, 부작용 많지만 고형암이나 혈액암 등 다양한 암에 적용가능	유방,폐암에 효과적, 부작용이 적고 표적치료라 결과 맞춤화	암의 종류와 관계없이 대사활동이 비슷하여 대부분 암에 적용 가능	암의 종류와 관계없이 대사활동이 비슷하여 대부분 암에 적용 가능
	단점	① 약이 너무 독해 탈모 ② 빈혈 ③ 헐고 속쓰림 증상	① 고가,내성,효과가 제한적 ② 화학,방사선요법과 병용 ③ 제한적 환자에게 적용	① 피부암,간암 정도만 치료 ② 고가,면역교란,고형암X ③ 화학항암제와 병용투여	① 연구 중이라 효과 제한적 ② 화학,방사선요법과 병용 ③ 비용이 고가
	대표약물	① 탁솔 ② 5-FU ③ 다우노신	① **글리벡** : 백혈병 ② **허셉틴** : 유방암, 난소암 ③ **이레사, 타세바** : 폐암 ④ **넥사바** : 간암, 신장암	① **CTLA항체** : 여보이 ② **PD-1항체** : 키투르다, 옵디보 ③ **PD-L1항체** : 티센트릭, 임핀지 ④ **CAR-T세포** : 킴리아, 예스카타	전세계 유일 : **아이드하이파** (미국 아지오스社) : **백혈병** ※한국 : 뉴지랩, 하임바이오 개발중
치료3 (방사선)	방사선치료	**항암** 방사선 치료	**표적항암** 방사선 치료	**항암 양성자** 방사선 치료	**항암 중입자** 방사선 치료
	특징	X선과 같은 방사선 조사로 **정위적 방사선(SRS)** 치료	**방사선 세기를 조절(IMRT)** 하여 암세포만 공격하여 제거 여러개의 종양도 한꺼번에 치료	**양성자를 가속시켜 환자 몸에 쏘아 암조직만 파괴**	수소보다 **무거운 탄소(중입자)** 를 이용하여 암세포 파괴
	단점	암세포 뿐만 아니라 정상세포도 공격, 부작용 많음	일부 정상세포 손상	고가치료비, 보험적용이 일부 암만 적용됨	예약잡기 어렵고 비급여 고가치료비

질문 26: 표적항암제는 어떻게 있고 비용은 얼마나 들어가는지 구체적으로 설명해 주세요?

약품명 (mg)	성분명	약품사진	1사이클/1개월당 치료비용	사이클/1개월	총비용 (본인부담)	대상 암종	국내승인/급여여부
퍼제타 주 420mg	퍼투주맙		4,163,828원	6사이클	약2,915만원	유방암	2013년 / 급여
캐싸일라 주 160mg	트라스투주맙		5,181,299원	12.8사이클	약6,632만원	유방암	2014년 / 급여
아바스틴 주 400mg	베바시주맙		1,876,343원	23사이클	약4,316만원	유방암	2014년 / 급여
잴코리캡슐 200mg	크리조티닙		6,944,000원	10.9사이클	약7,569만원	폐암	2011년 / 급여
자이카디아캡슐 150mg	세리티닙		7,207,795원	5.7사이클	약4,109만원	폐암	2015년 / 급여
얼비툭스 주 5mg	세툭시맙		999,000원	40사이클	약4,046만원	대장암,두경부암	2009년 / 급여
스티바가 정 40mg	레고라페닙		7,566,916원	1.9사이클	약1,438만원	대장암	2013년 / 급여
사이람자 주 10mg	라무시루맙		3,258,284원	8.8사이클	약2,867만원	위암	2015년 / 급여
엔허투 주 100mg	트라스투주맙		4,170,000원	19.9사이클	약8,300만원	위암,유방암	2022년 / 급여

암보험

출처: 식품의약품안전처, 건강보험심사평가원(24년4월)

고반물질30은 다모아미디어의 고유자산으로 무단 전제·복제 및 임의 사용시 저작권법 위반으로 5년이하의 징역 혹은 5천만원 이하의 벌금형이 부과됩니다.

질문 27: 면역항암제는 어떻게 있고 비용은 얼마나 들어가는지 구체적으로 설명해 주세요?

약품명 (성분명)	약품사진	기전	총치료비용 (본인부담)	대상암종	국내승인/급여여부
여보이 이필리무맙		CTLA 항체 (면역체크포인트 억제제)	4주 400~1600만원 (年 약1억9천만)	흑색종, 신세포암	2014년 / 급여
키트루다 펨브롤리주맙		PD-1 항체 (면역체크포인트 억제제)	3주 600만원 (年 약9,600만)	비소세포폐암, 대장암, 자궁내막암, 두경부암 등 15종류의 암	2015년 / 급여
옵디보 니볼루맙		PD-1 항체 (면역체크포인트 억제제)	4주 300~400만원 (年 4,800만)	비소세포폐암, 자궁경부암, 간, 위, 식도, 신장, 난소암 등 30종류 이상의 암	2015년 / 급여
티센트릭 아테졸리주맙		PD-L1 항체 (면역체크포인트 억제제)	3주 600만원 (年 3,500만)	비소세포폐암, 요로상피암, 방광암	2017년 / 비급여
바벤시오 아벨루맙		PD-L1 항체 (면역체크포인트 억제제)	4주 300만원 (年 약3,600만)	메르켈세포암, 피부암 일종	2019년 / 급여
임핀지 더발루맙		PD-L1 항체 (면역체크포인트 억제제)	4주 350만원 (年 약4,200만)	비소세포폐암(3기폐암용) 담도암	2022년 / 급여
킴리아 티사젠렉류셀		CAR-T 세포 (면역세포치료제)	1회투여 3억6천만원 평생1회 투여可 : 급여(본인부담600만원)	급성림프구성백혈병	2021년 / 급여
예스카타 악시캅타진실로류셀		CAR-T 세포 (면역세포치료제)	국내 미승인	급성림프구성백혈병	국내 미승인

출처: 식품의약품안전처, 건강보험심사평가원(24년4월)

고반물질30은 다모아미디어의 고유자산으로 무단 전제·복제 및 임의 사용시 저작권법 위반으로 5년이하의 징역 혹은 5천만원 이하의 벌금형이 부과됩니다.

질문 28: 2분이면 끝난다는 꿈의 암치료기인 **중입자가속기**에 대해 자세히 설명해 주세요?

치료 방법	**중입자가속기** 내에서 **탄소입자를 빛의 속도의 70%**까지 가속시켜 '브래그피크'시 체내 **25cm 깊이**까지 에너지 감소없이 **침투**시키켜 종양(암세포)만을 조준해 **파괴**하는 기법으로 방사선치료보다 2~3배 높은 효과
치료 비용	1회당 2분(준비시간까지 30분이내), 주3~4회 **12회로 치료완료**, 총치료비 **약5천~5.5천만원** 소요
치료 효과	기존 방사선 치료(X선)과 비교시 : 양성자 치료는 X선치료의 1.2배, **중성자 치료는 X선치료의 2~3배** 탁월한 효과
장점 단점	장점 : 재발우려 및 치료 강도가 낮고, **효과 탁월**, **한번 치료에 2분**, 주3~4회, 월12번 정도면 완치 단점 : **가격**이 비쌈 (치료비용 : 5~5.5천만원), **예약**하기 어려움, 전이암·혈액암은 치료X, 우선 **전립선암만 치료가능**(세브란스병원)
치료 대상	모든 고형암이 대상이긴 하나 '**전립선암' 우선 적용(세브란스병원)**, 간암,폐암,췌장암 등 난치성 암 치료, 전이암·혈액함은 치료하기 어려움
설치 현황	**일본에서 최초 개발**, 전세계 설치 모두 도시바 제품, 일본 7곳, 독일 2곳, 중국 3곳, 이탈리아, 오스트리아, 대만에 각 1곳씩 중입자 치료센터 설립, 설치가격은 약3000억원, **연세대세브란스병원 1대 보유(23년4월)**, 부산 기장에 설치중(2027년 완공)
건보 적용	건강보험 적용은 안되지만 실손보험에서 **통원치료비(20~25만원)**는 적용 ※ 최근치료인 '항암양성자 치료'도 국내도입 되고 나서 8년 후에 건강보험에 적용
준비 사항	암보험 담보 중 아래 **3가지 준비 필수** ① **암주요(특정)치료비**(연간2천만원X5년=1억) ② **종합병원 암주요(특정)치료비**(연간1억(※연간암주요치료비 본인부담금 1천만원 이상일때)까지X5년=최대5억) ③ **암통원비**

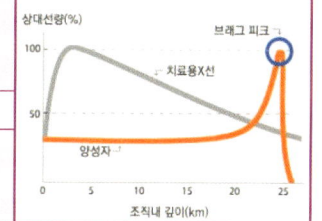

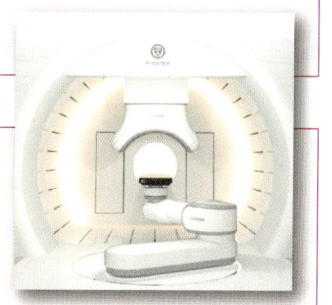

고반물질30은 다모아미디어의 고유자산으로 무단 전제·복제 및 임의 사용시 저작권법 위반으로 5년이하의 징역 혹은 5천만원 이하의 벌금형이 부과됩니다.

질문 29: 암은 국가에서 치료비를 대부분 지원해 준다면서요? 사실인가요?

본인부담 40%

국가에서 95%를 지원해준다해도 국민건강보험의 보장율 : 63.2%

[63.2% X 95% = 60%]로 40%는 본인부담

암검진 프로그램

국가에서 지원하는 '암검진프로그램'도 6가지 암에 대해서만 지원 ※ 6가지암 : 위,간,대장,유방,자궁경부암,폐암

재난적 의료비지원

① 목적 : 소득수준에 비하여 과도한 의료비 지출로 경제적 어려움을 겪는 국민들에게 의료비의 일부를 지원하여 가계파탄을 방지
② 조건 : 중증질환으로 인한 입원환자중 가구의 소득 및 본인부담 의료비를 동시에 고려해 결정됨
③ 지원항목 : 비급여 및 본인부담상한제를 적용받지 않는 급여 (본인부담분+선택진료비+상급병실료 모두 지원)
④ 지원한도 : 연간 최대 5천만원 한도내 본인부담분의 50%~80% 지원
⑤ 지원일수 : 연간 진료일수합산 180일까지
⑥ 면책조항 : 특급병실차액,미용,성형,치과,보철등은 면책
⑦ 소관기관 : 보건복지부

중증질환 산정특례

① 목적 : 중증질환 산정특례 제도는 중증질환을 앓고계신 분들의 진료비 부담을 덜어드리기 위해 만들어진 제도로 진료비 부담이 크고 장기간 치료가 필요한 중증 질환으로 진료를 받을때 건강보험 본인 부담률을 경감시켜주는 제도
② 적용범위 : ⓐ 산정특례 등록 질환 치료시 ⓑ 비급여 항목, 100분의 100 전액 본인부담, 선별급여, 예비급여 제외
③ 질환별 경감 혜택

구분	암	희귀질환 중증난치	중증치매	중증화상	심장질환	뇌혈관질환	중증외상	결핵	잠복결핵
본인부담률	5%	10%	10%	5%	5%	5%	5%	0%	0%
적용기간	5년	5년	5년	1년	최대30일	최대30일 (입원)	최대30일 (입원)	치료기간	1년

□ 복잡선천성 심기형질환자 또는 심장이식술 받은 경우 최대 60일
□ 뇌혈관·심장질환·중증외상은 등록절차 없이 고시에서 정한 상황 발생 시 적용

결론

□ 국가지원 치료비 : 복지국가의 기틀 (암검진프로그램,재난적의료비지원,중증질환산정특례 등)
□ 모든 암/모든 비용에 대해서 지원되는게 아니라 특정한 암과 일정기간[5년]만 지원

고반물질30은 다모아미디어의 고유자산으로 무단 전제·복제 및 임의 사용시 저작권법 위반으로 5년이하의 징역 혹은 5천만원 이하의 벌금형이 부과됩니다.

질문 30

국가에서 지원하는 '암검진 프로그램'에 대해 설명해 주세요?

- **정의** : 국민에게 암 검진의 중요성을 인식시키고 암을 조기 발견해 치료율 및 사망율을 줄이기 위해 실시
- **주관부서** : 보건복지부, 국립암센터, 국가암검진 권고안 제개정위원회
- **대상자 확인은 어디서?** : 대상자 우편발송, http://sis.nhis.or.kr, 1577-1000
- **국가 암 검진 프로그램** : 위 · 간 · 대장 · 유방 · 자궁경부암 · 폐암 [6가지]

암종	검진대상	주기	검진방법
위암	40세이상 남·여	2년	기본검사 : 위내시경 또는 위장조영
간암	40세이상 남·여 중 고위험군	6개월	간초음파, 혈청알파태아단백검사
대장암	50세이상 남·여	1년	분변잠혈(대변)검사 후 대장내시경 또는 대장이중조영검사
유방암	40세이상 여성	2년	유방촬영술
자궁경부암	20세이상 여성	2년	자궁경부세포조사
폐암	54이상 74세이하 남·여 中 폐암 발생 고위험군	2년	저선량 흉부 CT

〈출처 : 국가암정보센터. 2024〉

암보험

고객이 반드시 물어보는 질문 30가지

손해보험 | **생활필수 질병보험** | 한국인 사망원인 상위 클래스
뇌질환과 심장질환
높아지는 발병률에 대비 하세요.

뇌·심·다빈도 질병

뇌심다빈도

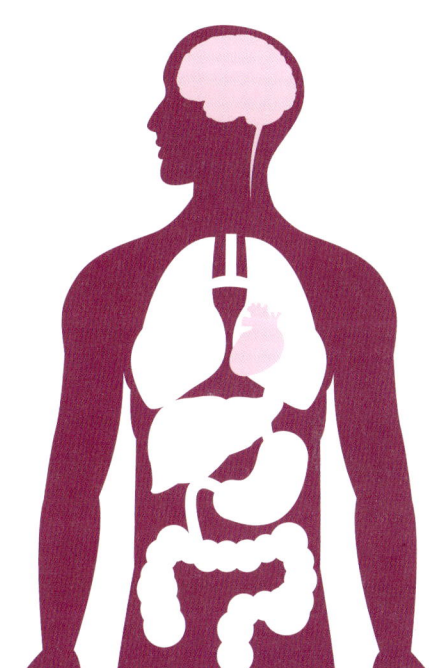

고반물질30은 **다모아미디어**의 고유자산으로 무단 전제·복제 및 임의 사용시 저작권법 위반으로 5년이하의 징역 혹은 5천만원 이하의 벌금형이 부과됩니다.

목차

▫ 뇌혈관질환 [1~10번]
1. 뇌의 형태, 구조 및 기능?
2. 뇌혈관질환이 무엇이고, 왜? 무서운 질병인가요?
3. 뇌혈관질환의 의료적 분류?
4. 뇌혈관질환의 세부적 분류?
5. 뇌혈관질환의 종류와 증상?
6. 뇌출혈의 종류와 치료방법에 대해 설명해 주세요?
7. 뇌경색의 종류와 치료방법에 대해 설명해 주세요?
8. 뇌혈관질환은 치료와 입원기간이 얼마나 걸리나요?
9. 뇌혈관질환_통계자료?
10. 건강한 뇌와 알츠하이머병에 걸린 뇌?

▫ 심혈관질환 [11~20번]
11. 심혈관질환의 의료적 분류?
12. 심혈관질환의 세부적 분류?
13. 심장의 역할과 구조?
14. 혈액의 흐름에 대해 자세히 설명해 주세요?
15. 심장판막 수술의 종류와 약관상의 정의?
16. 판막성형술 & 판막치환술의 비교?
17. 동맥경화 & 협심증 & 심근경색증의 비교
18. 관상동맥성형술 & 관상동맥우회술의 비교?
19. 심혈관질환은 수술을 많이 한다는데 매년 수술인원과 수술건수는 얼마나 되나요?
20. 심장질환에 관해 보험영업에 유익한 정보가 있으면 알려 주세요?

▫ 다빈도질병 [21~30번]
21. 콜레스테롤에 대해 자세히 설명해 주세요?
22. 반드시 준비해야 하는 '갱년기 여성질환'?
23. 평생을 관리해야 하는 무서운 질병, '당뇨병'?
24. 당뇨합병증[뇌·심·안·신·간·족]
25. 당뇨합병증에 대해 자세히 설명해 주세요?
26. 고혈압이 뭔가요?
27. 3고(苦)질병 [고혈압/고지혈/고혈당]?
28. 후유장해 지급 방법?
29. 장해지급율 [장해율별 분류]?
30. 장해지급율 [신체부위별 분류]?

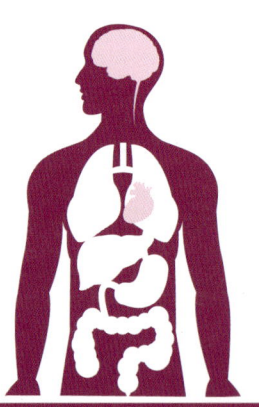

고반물질30은 다모아미디어의 고유자산으로 무단 전제·복제 및 임의 사용시 저작권법 위반으로 5년이하의 징역 혹은 5천만원 이하의 벌금형이 부과됩니다.

목차 [질문 1~10번]

뇌혈관질환 [1~10번]

1. 뇌의 형태, 구조 및 기능?
2. 뇌혈관질환이 무엇이고, 왜? 무서운 질병인가요?
3. 뇌혈관질환의 의료적 분류?
4. 뇌혈관질환의 세부적 분류?
5. 뇌혈관질환의 종류와 증상?
6. 뇌출혈의 종류와 치료방법에 대해 설명해 주세요?
7. 뇌경색의 종류와 치료방법에 대해 설명해 주세요?
8. 뇌혈관질환은 치료와 입원기간이 얼마나 걸리나요?
9. 뇌혈관질환_통계자료?
10. 건강한 뇌와 알츠하이머병에 걸린 뇌?

뇌심다빈도

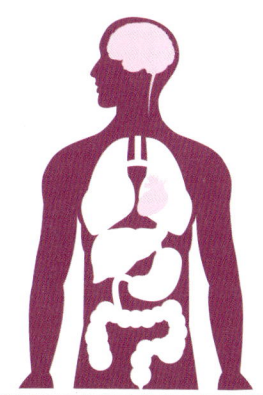

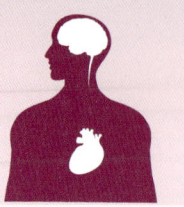

질문 01 : 뇌의 형태, 구조 및 기능

1. **대뇌** : 뇌의 표면의 주름중 **돌출** 부분을 **이랑**, **주름**진 부분을 **고랑**, 대뇌의 **깊은 부분**에는 **시상**, **시상하부** 등이 위치
   => **가장 큰 부분**, **운동, 감각, 언어, 기억 및 고등정신, 각성, 자율신경계, 호르몬 생성, 항상성 유지** 등의 기능

2. **소뇌** : 중심부의 **소뇌벌레(편도)**와 좌우 양쪽의 반구로 구성, 표면에는 **많은 주름**, **깊은 부분**은 백질과 **소뇌핵**이 있음
   => 무게는 150g 정도, **뇌용적의 10%** 정도 차지, **운동조절기능**이 조화되어, **정밀한 운동**이 가능

3. **뇌줄기** : **대뇌**와 **소뇌**, **척수 사이**에 존재, 무수한 신경섬유들이 결합, 대뇌로부터 **중간뇌, 다리뇌, 숨뇌** 순으로 구분
   - 중간뇌 : **청각**과 **시각반사**에 관여, 의식상태를 조절
   - 다리뇌 : **얼굴표정근, 저작근** 등을 지배
   - 숨뇌 : **호흡기, 순환기, 소화기관의 운동**을 조절

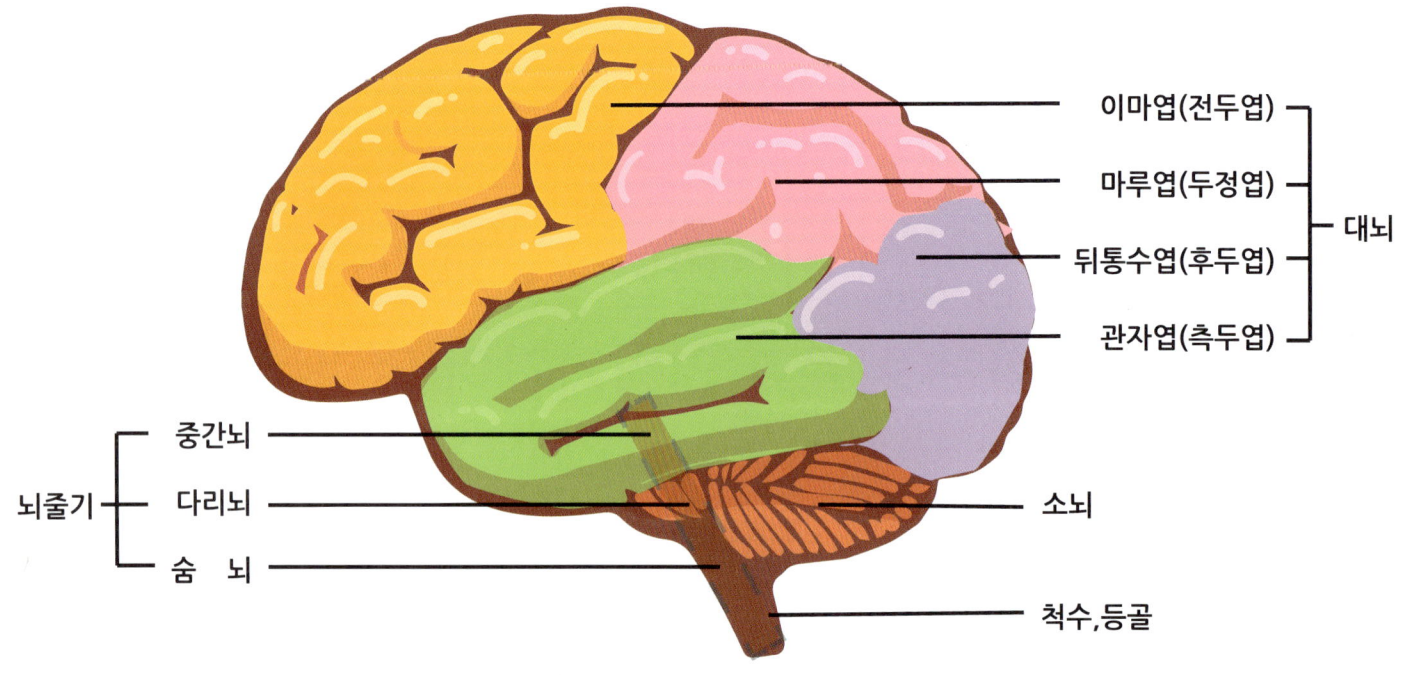

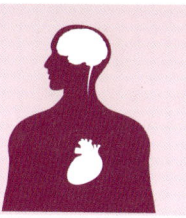

질문 02 : 뇌혈관질환이 무엇이고, 왜? 무서운 질병인가요?

뇌혈관질환이란?

- **뇌혈관 협착**, **기형** 및 **파열**에 의해 발생하는 질환
- **암 다음**으로 **흔한 사망원인**이며, **단일 질환**으로는 **가장 높은 사망률**을 기록
- 뇌혈관 질환 중 **뇌경색(경동맥 및 뇌혈관 협착)**, **뇌동맥류**, **모야모야병**, **뇌동정맥 기형** 등

왜? 무서운 질병인가요?

- **암**은 걸려도 **준비할 시간**이 **有**
- 뇌와 심장질환은 **갑자기 / 급격히** 찾아오는 **치명적인 질병**
- **뇌** : **몸무게**의 **2%** 정도 무게 / **전체혈액**의 **20%**를 사용
- **뇌·졸·중(=STROKE)** : 뇌가 졸지에 죽는 중병 = **중풍(中風)**
- **혈관계통**의 **질병** : **뇌 · 심장**질환 : **갑자기 死**

뇌심다빈도

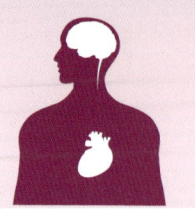

질문 03

뇌혈관질환의 의료적 분류?

뇌혈관질환	100%
뇌졸중	65.9%
뇌출혈	8.4%

I60 지주막하(거미막하) 출혈
I61 뇌내출혈
I62 기타 비외상성 두개내 출혈

뇌경색증	41.8%

I63 뇌경색증 (단일코드)

I65 뇌경색증을 유발하지 않은 뇌전동맥의 폐쇄 및 협착	11.4%
I66 뇌경색증을 유발하지 않은 대뇌동맥의 폐쇄 및 협착	4.3%
I64 출혈 또는 경색증으로 명시되지 않은 뇌졸중	1.8%
I67 기타 뇌혈관질환	**28.8%**
I68 달리 분류된 질환에서의 뇌혈관장애	0.3%
I69 뇌혈관질환의 후유증	3.2%

출처 : 보건의료빅데이터 [2023]

- 뇌졸중 ≠ 뇌출혈 + 뇌경색증
- 뇌졸중 = 뇌출혈 + 뇌경색증 + I65 + I66

[※ 뇌졸중은 I65, I66을 포함하는 더 큰 개념]

- 뇌출혈은 나이와 관계없이 발생 (40대이하 18.4%)
- 뇌경색은 60대이후 발생 (전체의 80%가 60대이후)

뇌출혈
혈압/홧때문에 터지거나
코일로 막고/클립으로 묶고
나이를 따지지 않음

뇌경색
혈전이 혈관을 막음

뇌경색이 더 많지만
뇌출혈이 더 치명적

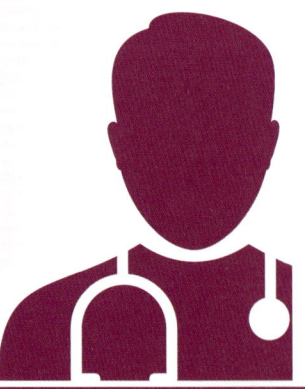

고반물질30은 다모아미디어의 고유자산으로 무단 전제·복제 및 임의 사용시 저작권법 위반으로 5년이하의 징역 혹은 5천만원 이하의 벌금형이 부과됩니다.

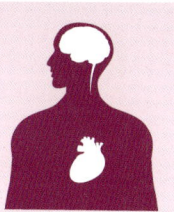

질문 04: 뇌혈관질환의 세부적 분류?

코드	질병명	뇌혈관질환	뇌졸중	뇌출혈	2022년 진료환자	구성비	
I60	지주막하출혈	O	O	O	36,258명	2.9%	8.4%
I61	뇌내출혈	O	O	O	57,878명	4.7%	
I62	기타 비외상성 두개내 출혈	O	O	O	10,367명	0.8%	
I63	뇌경색증	O	O	X	**519,533명**	**41.8%**	
I64	출혈 또는 경색증으로 명시되지 않은 뇌졸중	O	X	X	22,469명	1.8%	17.5%
I65	뇌경색증을 유발하지 않은 뇌전동맥의 폐쇄 및 협착	O	O	X	142,258명	11.4%	
I66	뇌경색증을 유발하지 않은 대뇌동맥의 폐쇄 및 협착	O	O	X	53,788명	4.3%	
I67	기타 뇌혈관질환	O	X	X	**357,736명**	**28.8%**	32.3%
I68	달리 분류된 질환에서의 뇌혈관장애	O	X	X	3,784명	0.3%	
I69	뇌혈관질환의 후유증	O	X	X	39,554명	3.2%	

※ I64는 뇌졸중이라는 병명이지만 뇌졸중 진단비에서 보장되지 않음

출처 : 보건의료빅데이터 [2023]

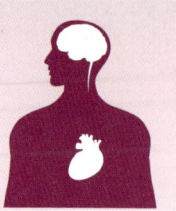

질문 05: 뇌혈관질환의 종류와 증상?

뇌경색(경동맥 및 뇌혈관 협착)
- 발병후 4~6시간 내에 혈관중재술을 통한 개통이 필요한 위급한 상황
- 증상 : 편측마비, 안면마비, 감각이상, 구음장애 등

뇌출혈(뇌동맥류)
- 혈압때문에 터지면 '뇌내출혈', 꽈리때문에 터지면 "지주막하출혈"
- 출혈 시 약 50%가 사망
- 증상 : 심한 두통, 심한 구역질과 구토, 실신, 안검하수, 사물이 둘로 보이는 현상

모야모야병 [I67.5]
- 혈관이 정상인보다 얇으며, 특별한 이유없이 뇌 속 특정 혈관이 막히는 만성 질환
- 10세이하의 소아, 30~40대 성인에게도 발병되어 '소아중풍' 이라고도 불림
- 증상 : 두통, 뇌출혈, 경련, 의식장애, 신경장애

뇌동정맥 기형
- 선천적인 뇌혈관 발달 이상으로 뇌의 일부 동맥과 정맥 사이에 모세혈관이 없는 기형상태의 질환
- 증상 : 두통, 뇌출혈, 경련, 사지마비, 의식저하

I67 기타뇌혈관질환

코드	질병명	환자수	구성비
I67.0	파열되지 않은 대뇌동맥의 박리	3,893명	1.1%
I67.1	**파열되지 않은 대뇌동맥류**	**165,194명**	**44.9%**
I67.2	대뇌죽상경화증	51,693명	14.1%
I67.3	진행성 혈관성 백실뇌병증	434명	0.1%
	고혈압성 뇌병증	2,588명	0.7%
I67.5	**모야모야병**	**16,082명**	**4.4%**
I67.6	두개내정맥계통의 비화농성 혈전증	673명	0.2%
I67.7	달리 분류되지 않은 대뇌동맥염	87명	0.0%
I67.8	기타 명시된 뇌혈관질환	63,460명	17.3%
I67.9	상세불명의 뇌혈관질환	63,565명	17.3%

출처 : 보건의료빅데이터 [2023]

질문 06 뇌출혈의 종류와 치료방법에 대해 설명해주세요?
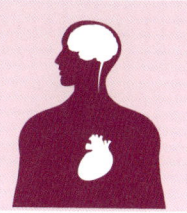

뇌출혈 : 혈압때문에 터지는 출혈로 '나이', '계절' 상관없이 부지불식간 발생

- **뇌내출혈(I61)** : 혈압이 올라 뇌 속에서 혈관에서 터지는 출혈

- **뇌동맥류파열(I60)** = 지주막하출혈 = 거미막하출혈
  - 꽈리=풍선처럼 부풀어 오르는 것(=뇌에 생긴 혹)
  - **지주막하(蜘蛛膜下)출혈** : 연막과 경막과의 중간에 위치한 지주막의 출혈

- **파열되지 않은 뇌동맥류(I67.1)**
  - 터질것 같은 조짐을 보일때 하는 수술 2가지
  ① **코일색전술** : 혈관에 카테터를 삽입하여 백금소재 물질로 혹 안을 막는(색전) 수술
  ② **클립결찰술** : 환자의 머리를 열어 뇌동맥류의 목 부문을 클립으로 혹 부위를 묶는(결찰) 수술

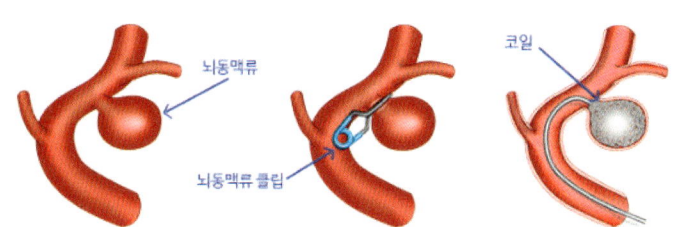

- 생보 : 종별수술비
  (카테터넣고 피부뚫고(경피적) 혈관뚫고: 비관혈수술)
- 손보 : 질병수술비

뇌심다빈도

 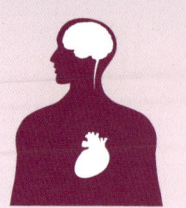

질문 07: 뇌경색의 종류와 치료방법에 대해 설명해주세요?

뇌경색의 종류 : 뇌색전증, 뇌혈전증

뇌색전증
동맥경화나 뇌혈관의 혈전으로 혈액공급이 저하되면서 뇌세포손상, 고혈압과 인과관계가 적고 사망률도 낮다.

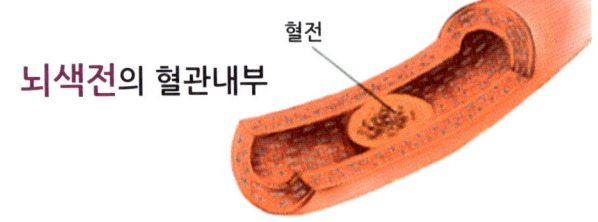

뇌색전의 혈관내부

뇌혈전증
뇌혈관이 아닌 타 부위의 혈전이나 심장병으로 인한 괴사조직이 뇌동맥을 막는 증상으로 갑자기 나타난다.

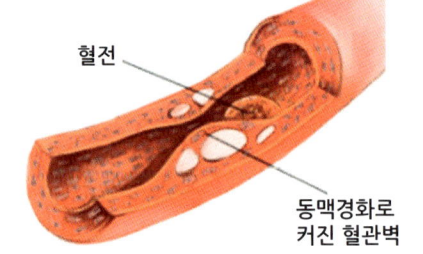

뇌혈전의 혈관내부

뇌경색의 치료방법

혈전용해제
항응고제
항혈소판제제

스텐트 혈전 제거술

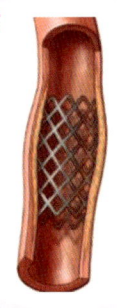

경동맥 내막 절제술

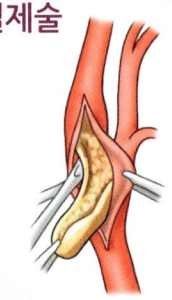

참조 : 서울아산병원 홈페이지

고반물질30은 다모아미디어의 고유자산으로 무단 전재·복제 및 임의 사용시 저작권법 위반으로 5년이하의 징역 혹은 5천만원 이하의 벌금형이 부과됩니다.

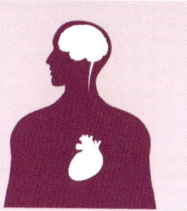

질문 08: 뇌혈관질환은 치료와 입원기간이 얼마나 걸리나요?

뇌혈관질환 수술관련 평균입원 일 수 [상위 20위]

(단위 : 명, 일)

구분	코드	수술질환명	환자 수	평균입원일수
1	F00	알츠하이머병에서의 치매	122,658	169.3
2	F20	조현병(※정신분열병/증(2011년 병명 바뀜)	18,212	163.5
3	G81	편마비	37,249	158.0
4	G82	하반신마비 및 사지마비	11,275	140.3
5	F01	혈관성 치매	2,833	133.4
6	G20	파킨슨병	26,221	129.0
7	G30	알츠하이머병	5,952	126.2
8	F25	조현정동장애	2,011	107.4
9	I61	뇌내출혈	22,803	105.1
10	F03	상세불명의 치매	7,175	100.0
11	F10	알코올사용에의 정신 및 행동장애	16,802	94.4
12	I69	뇌혈관질환의 후유증	3,980	83.4
13	G80	뇌성마비	1,720	83.2
14	F29	상세불명의 비기질성 정신병	2,246	68.5
15	I63	뇌경색증	103,086	65.6
16	I60	지주막하출혈	9,688	65.5
17	S14	목부위의 신경 및 척수의 손상	2,279	64.4
18	G12	척수성 근위축 및 관련 증후군	1,938	62.2
19	F06	뇌손상,뇌기능이상 및 신체질환에 의한 기타 정신장애	2,436	61.7
20	C71	뇌의 악성 신생물	4,513	58.0

※출처 : 평균입원일수 상위질병 20위(2022), 보건의료빅데이터(2023)

- 뇌내출혈(I61) **105.1일**
- 뇌혈관질환의 후유증(I69) **83.4일**
- 뇌경색증(I63) **65.6일**
- 지주막하출혈(I60) **65.5일**

뇌혈관질환 입원을 오래

심혈관질환 수술을 자주

뇌/심혈관질환 모두 충분한 보험가입 절대적으로 필요!!!

고반물질30은 다모아미디어의 고유자산으로 무단 전제·복제 및 임의 사용시 저작권법 위반으로 5년이하의 징역 혹은 5천만원 이하의 벌금형이 부과됩니다.

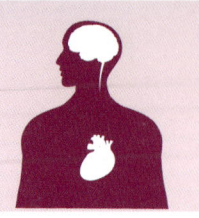

질문 09 — 뇌혈관질환_통계자료

□ 뇌혈관질환의 환자 수 & 사망자 수 비교

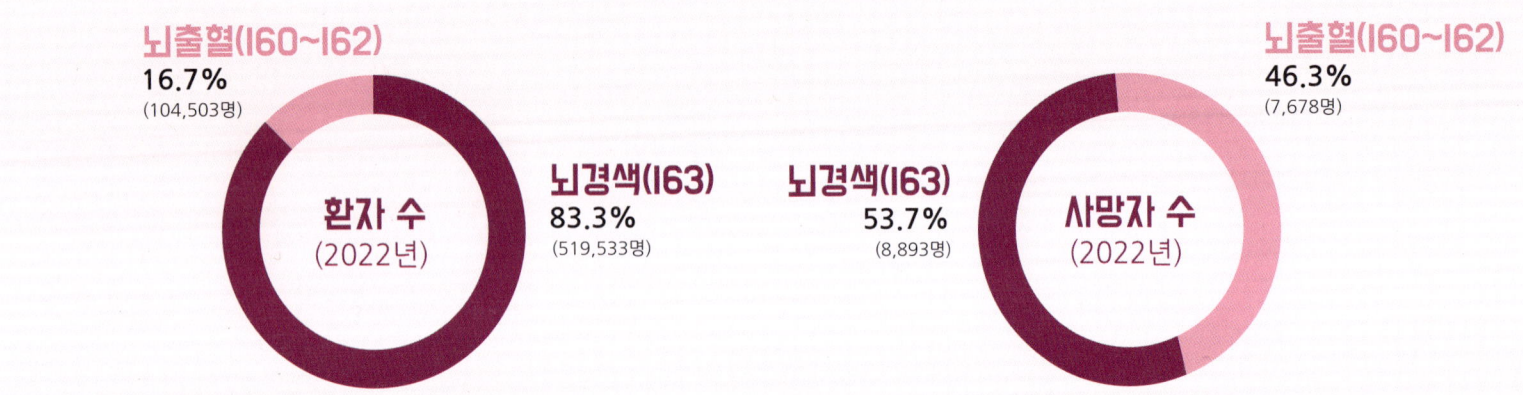

환자 수 (2022년)
- 뇌출혈(I60~I62): 16.7% (104,503명)
- 뇌경색(I63): 83.3% (519,533명)

사망자 수 (2022년)
- 뇌출혈(I60~I62): 46.3% (7,678명)
- 뇌경색(I63): 53.7% (8,893명)

(단위:명)

구분	환자수(입원/외래)	사망자수
뇌출혈	104,503	7,678
뇌경색	519,533	8,893

※출처 : KOSIS 국가통계포털(2023)

뇌출혈은 적지만 일찍!!! 뇌경색은 늦지만 많이!!!
뇌경색이 5배 더 많지만 뇌출혈이 더 치명적!!!

고반물질30은 다모아미디어의 고유자산으로 무단 전제·복제 및 임의 사용시 저작권법 위반으로 5년이하의 징역 혹은 5천만원 이하의 벌금형이 부과됩니다.

질문 10: 건강한 뇌와 알츠하이머병에 걸린 뇌

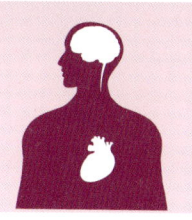

건강한 뇌 | 알츠하이머병에 걸린 뇌

- 대뇌피질
- 해마

- 대뇌피질의 뚜렷한 위축
- 뇌실의 뚜렷한 확대
- 해마의 현저한 위축

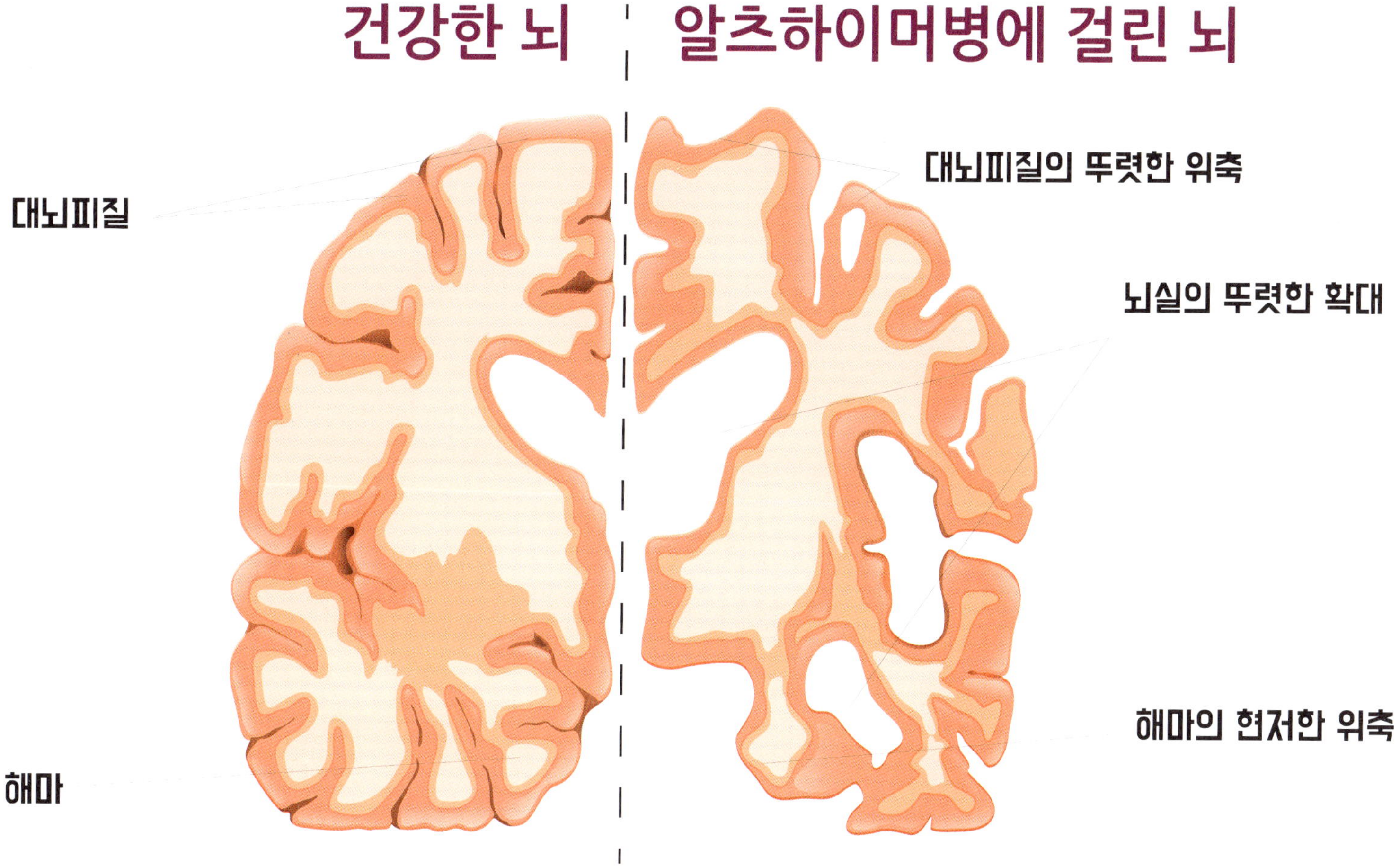

치매상태가 되면 독해력, 사고력등의 고차원 뇌기능을 수행하는데 중요한 역할을 하는 대뇌피질과, 기억에 깊이 관여하는 해마등의 뇌영역이 크게 위축되며 그 결과로 뇌척수액으로 가득 찼던 뇌의 내부공간인 뇌실이 확대된다.

뇌심다빈도

고반물질30은 다모아미디어의 고유자산으로 무단 전제·복제 및 임의 사용시 저작권법 위반으로 5년이하의 징역 혹은 5천만원 이하의 벌금형이 부과됩니다.

목차 [질문 11~20번]

심혈관질환 [11~20번]

11. 심혈관질환의 의료적 분류?
12. 심혈관질환의 세부적 분류?
13. 심장의 역할과 구조?
14. 혈액의 흐름에 대해 자세히 설명해 주세요?
15. 심장판막 수술의 종류와 약관상의 정의?
16. 판막성형술 & 판막치환술의 비교?
17. 동맥경화 & 협심증 & 심근경색증의 비교
18. 관상동맥성형술 & 관상동맥우회술의 비교?
19. 심혈관질환은 수술을 많이 한다는데 매년 수술인원과 수술건수는 얼마나 되나요?
20. 심장질환에 관해 보험영업에 유익한 정보가 있으면 알려 주세요?

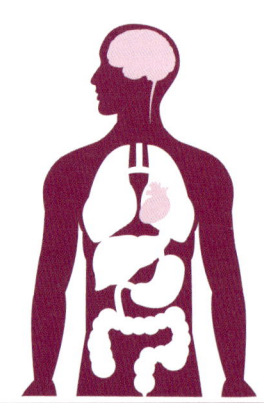

 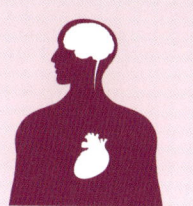

질문 11: 심혈관질환의 의료적 분류?

허혈성심장질환	100%
협심증	65.0%

I20 협심증

급성심근경색증	12.2%

I21 급성심근경색증
I22 속발성 심근경색증
I23 급성심근경색증에 의한 특정합병증

I24 기타 급성 허혈성 심장질환   0.4%
I25 만성 허혈성 심장병   22.4%

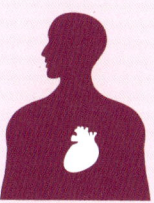

출처 : 보건의료빅데이터 [2023]

□ 유형별 환자수 현황 (2022년 기준)
협심증(I20) : 65.0%
급성심근경색증(I21~I23) : 12.2%
나머지 허혈성심장질환 : 22.8%

□ 급성심근경색증 환자현황 (2022년기준)

 3.6배 77.4% > 22.6%

출처 : 보건의료빅데이터 [2023]

■ 허혈 심장질환 [심장**혈관**의 문제]
: 심혈관질환=관상동맥질환
(예:협심증, 심근경색 등)

■ 기타 심장질환 [심장**자체**의 문제]
: 기타 형태의 심장병
(예:심내막염, 판막질환, 부정맥 등)

뇌심다빈도

고반물질30은 다모아미디어의 고유자산으로 무단 전제·복제 및 임의 사용시 저작권법 위반으로 5년이하의 징역 혹은 5천만원 이하의 벌금형이 부과됩니다.

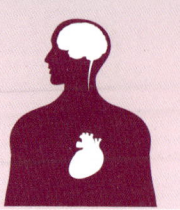

질문 12: 심혈관질환의 세부적 분류?

검사항목	질병명	심장질환	급성심근경색	2022년 진료환자	구성비
I20	협심증	O	X	705,722명	65.0%
I21	급성심근경색증	O	O	131,160명	12.2%
I22	이차성 심근경색증	O	O	722명	
I23	급성심근경색증에 의한 특정 현존 합병증	O	O	431명	
I24	기타 급성 허혈성 심장질환	O	X	3,822명	22.8%
I25	만성허혈성 심장병	O	X	243,498명	

※ I20은 협심증으로 급성심근경색에 해당되지 않아 급성심근경색 진단비에서 보장되지 않음

출처 : 보건의료빅데이터 [2023]

좁아지는 **협심증**이 막히는 심근경색증보다 **5.6배 많음**

심근경색증이 협심증에 비해 많이 적지만 **더 치명적!!!**

급성심근경색증은 남성에게 **더 치명적(여성보다 3.6배 많음)!!!**

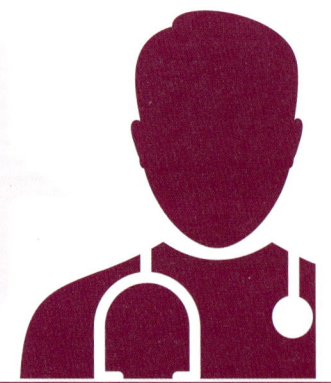

고반물질30은 다모아미디어의 고유자산으로 무단 전제·복제 및 임의 사용시 저작권법 위반으로 5년이하의 징역 혹은 5천만원 이하의 벌금형이 부과됩니다.

질문 13 — 심장의 역할과 구조?

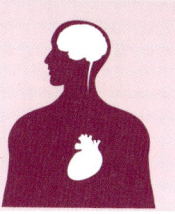

심장의 역할

- 2개의 심방과 2개의 심실로 구성 (2심방 2심실)
- 심장은 주먹만 한 크기이며, 두꺼운 근육으로 구성, 1분에 60~70회, 하루 평균 약 10만번, 70세 기준 평생 26억번 수축
- 한 번 수축 대략 80mL 정도의 혈액을 대동맥으로 내보내고 1분당 약 5L의 피가 심장을 거쳐 우리 몸을 돌고 40~ 50초만에 되돌아 옴

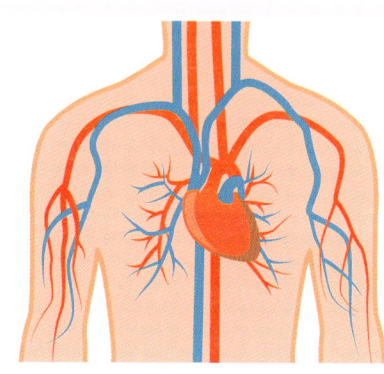

심장의 구조

- 심방 (2심방)
  심방은 심장으로 들어오는 혈액을 받아들이는 곳, 정맥과 연결

- 심실 (2심실)
  심실은 혈액을 내보내는 곳으로, 동맥과 연결, 심방보다 두꺼운 근육으로 이루어져 있어 혈액을 내보내기에 알맞음

- 판막 : 혈액이 거꾸로 흐르는 것(역류)을 막는 역할을 함

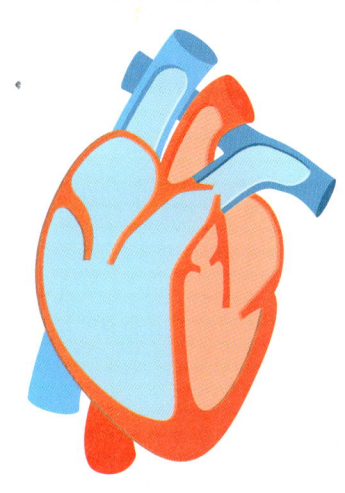

뇌심다빈도

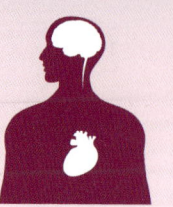

질문 14: 혈액의 흐름에 대해 자세히 설명해 주세요?

혈액의 흐름

· 대정맥 → 우심방 → 우심실 → 폐동맥
· 폐정맥 → 좌심방 → 좌심실 → 대동맥

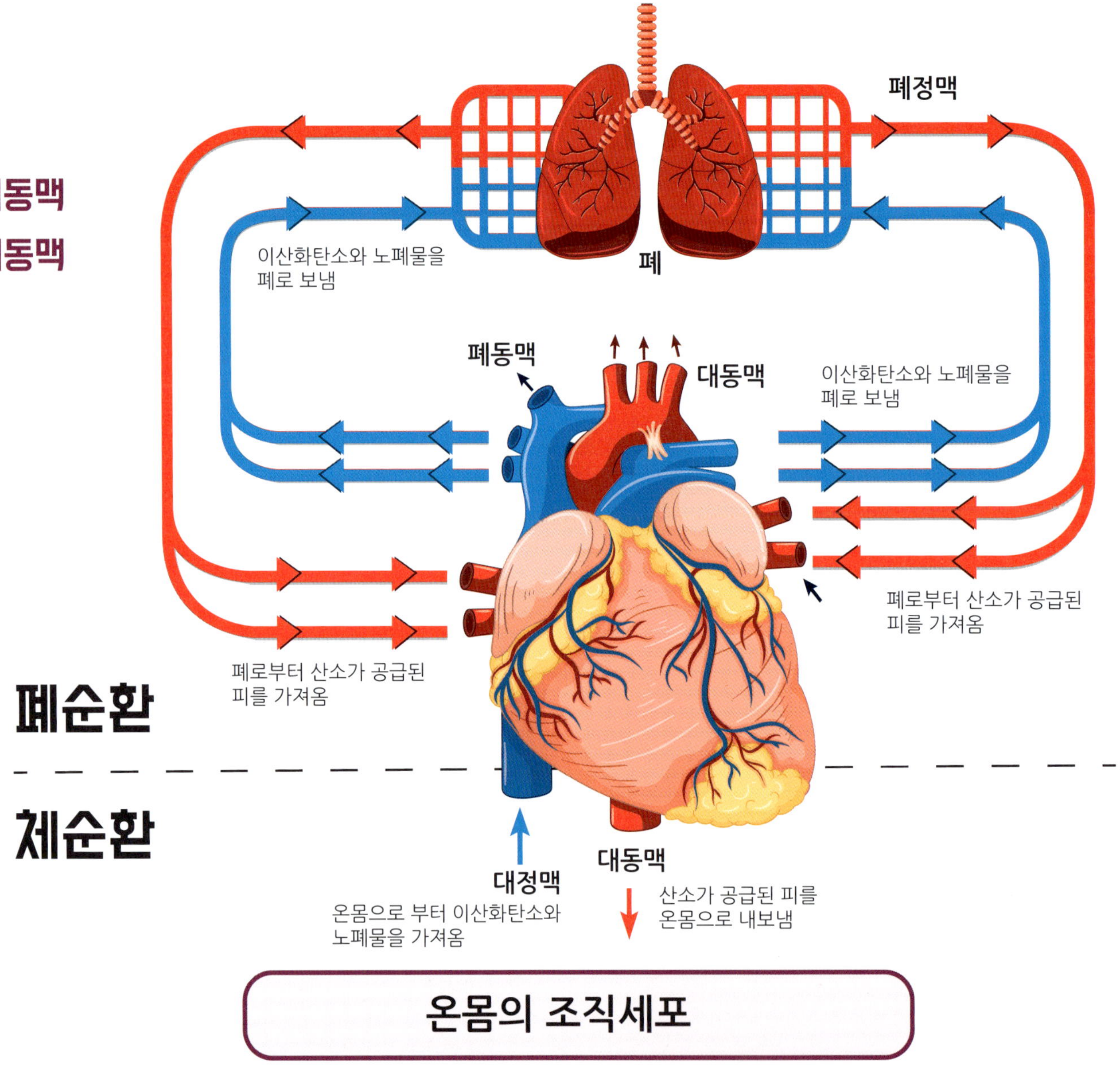

폐정맥

이산화탄소와 노폐물을 폐로 보냄

폐동맥 **대동맥**

이산화탄소와 노폐물을 폐로 보냄

폐로부터 산소가 공급된 피를 가져옴

폐로부터 산소가 공급된 피를 가져옴

폐

폐순환

- - - - - - - - - - - - - - - - - - - -

체순환

대정맥
온몸으로 부터 이산화탄소와 노폐물을 가져옴

대동맥
산소가 공급된 피를 온몸으로 내보냄

온몸의 조직세포

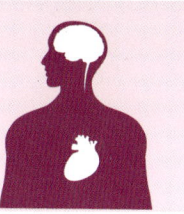

질문 15: 심장판막수술의 종류와 약관상 정의?

판막성형술(=재건술)
: 문제가 있는 부위를 재단하여 꿰매주어 원래의 기능을 회복 하는 수술

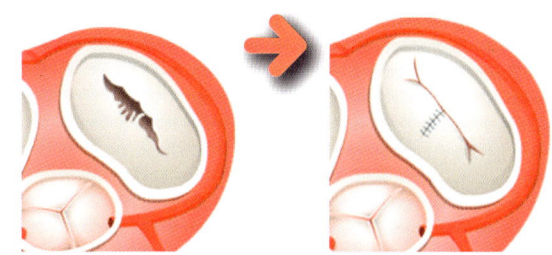

판막치환술 (금속or조직판막)
: 수리불가로 금속 또는 조직판막으로 교체하는 수술
※ 승모판,삼첨판,동맥판을 교체

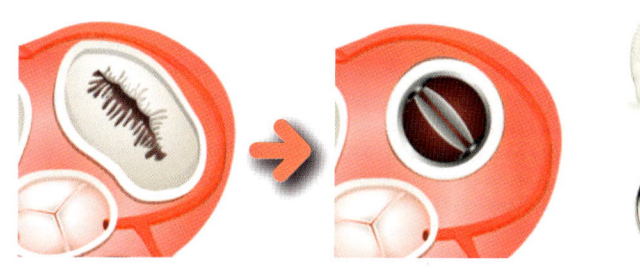

심장판막 : 부위별 명칭

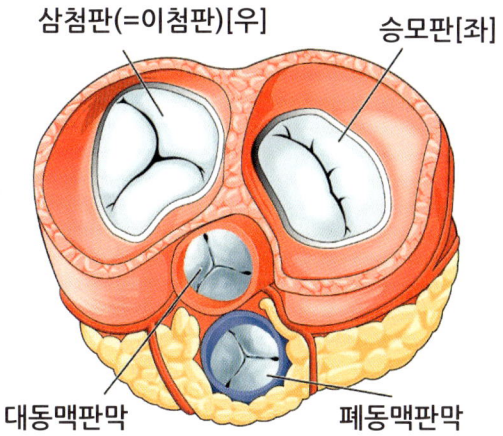

삼첨판(=이첨판)[우] 승모판[좌]
대동맥판막 폐동맥판막

심장판막수술 : 약관상 정의

① "심장판막수술"이라 함은 심장판막 주1) 질환의 근본적인 치료를 직접 목적으로 하여 다음의 두 가지 기준중 한가지 이상에 해당하는 경우
  가. 반드시 개흉술 및 개심술을 한 후 병변이 있는 판막을 완전히 제거한 뒤 인공심장판막 또는 생체판막으로 치환하여 주는 수술
  나. 반드시 개흉술 및 개심술은 한 후 병변이 있는 판막에 대해 판막성형술(valvuloplasty)을 해주는 수술
② 그러나 다음과 같은 수술은 보장에서 제외합니다.
  가. 카테터를 이용하여 수술하는 경우
    (예) 경피(피부를 통한)적 판막성형술
  나. 개흉술 또는 개심술을 동반하지 않는 수술

뇌심다빈도

고반물질30은 다모아미디어의 고유자산으로 무단 전제·복제 및 임의 사용시 저작권법 위반으로 5년이하의 징역 혹은 5천만원 이하의 벌금형이 부과됩니다.

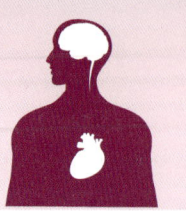

질문 16 : 판막성형술 & 판막치환술의 비교

판막성형술 & 판막치환술의 비교

판막성형술(=재건술)	구분	판막치환술
자기 판막 조직을 살려두고 병변에 재단하여 꿰매주어 기능을 회복케 하는 수술	정의	수리가 불가한 경우 판막조직을 모두 제거하고 인공판막을 삽입하는 수술
- 승모판막폐쇄부전 환자 - 승모판막협착증 환자 - 대동맥판막폐쇄부전	대상자	- 대동맥판막협착증 환자 - 승모판막의 협착과 폐쇄부전이 동반된 환자
협착 및 늘어난 부위를 절개, 심장을 넓혀주거나 승모판막에 링을 삽입함	수술방법	심하게 손상된 판막 제거 후 인공판막(조직,금속,자가판막)을 삽입함
환자 본인 판막을 수리해 사용하므로 항응고제가 필요없고 판막 주변 조직을 보존해 심장의 정상적 기능 보존이 가능	장점	- 기계판막 : 내구성이 뛰어나 일생동안 사용가능 - 조직판막 : 수술후 장기적인 응고제 사용 안하고 관리가 편하고 부작용이 적음
수술했다 하더라도 병이 진행될 경우 추가적인 수술이 필요	단점	- 기계판막 : 혈전을 일으킬 수 있기 때문에 수술 후 혈전생성을 억제하는 항응고제를 평생 복용 - 조직판막 : 수명이 10~15년으로 재수술이 필요

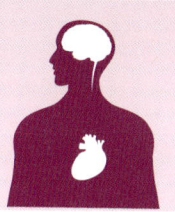

질문 17: 동맥경화 & 협심증 & 심근경색증의 비교?

동맥경화증

- 혈관의 중간층에 퇴행성 변화가 일어나 섬유화가 진행되고 **혈관의** 탄성이 줄어드는 **노화현상**
- **최근**에는 **죽상경화증**과 **동맥경화증을 혼합**하여 '**죽상동맥경화**'라고 쓰기도 함
  - 원인 : **고지혈증, 고혈압, 당뇨, 흡연** 등이며 주기적이고 지속적인 관찰이 필요
  - 문제점
    동맥경화로 인한 고혈압, 심장, 뇌혈관질환이 전체의 30%를 차지, **위험한 질환으로 발전**
    혈관이 있는 곳에는 **다 생기는 것**으로 특히 심근경색, 뇌졸중, 혹은 대동맥박리등은 **급사**
    를 **일으키는 원인**이 되므로 주의

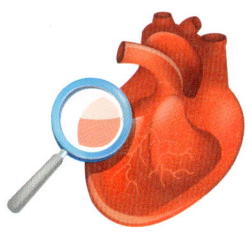

협심증

심장에 혈액을 공급하는 **혈관**이 "**좁아**"지면서 심장으로 가는 **혈류가 감소**하여 **가슴답답함**,
흉통등의 증상이 나타나며 **협심증만으로 사망하지는 않음**

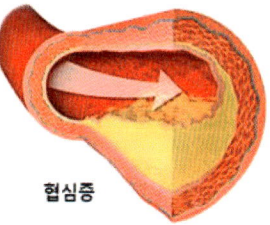
협심증

심근경색증

- **돌연사의 80%이상은 급성심근경색**
- 심장에 혈액을 공급해주는 혈관인 **관상동맥**이 "**막혀**" 혈액과 산소가 공급되지 않아 심장근육이 **죽게되는** 무서운 **질환**
- **2명중 1명은 병원 도착 전에 사망**

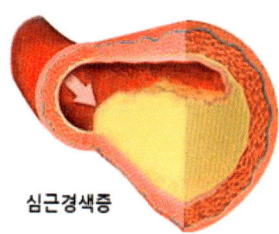
심근경색증

뇌심다빈도

동맥경화는 치명적질환의 근원 / 좁아지면 협심증 / 막히면 심근경색증

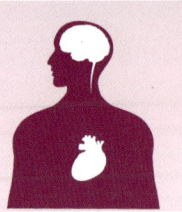

질문 18: 관상동맥성형술 & 관상동맥우회술?

관상동맥 우회술

스텐트삽입술이나 카테터술로 치료하기 어려운 경우, 좁아진 관상동맥을 대체 할 수 있는 혈관을 연결하여 심장에 혈류를 공급하는 우회로를 만들어주는 수술

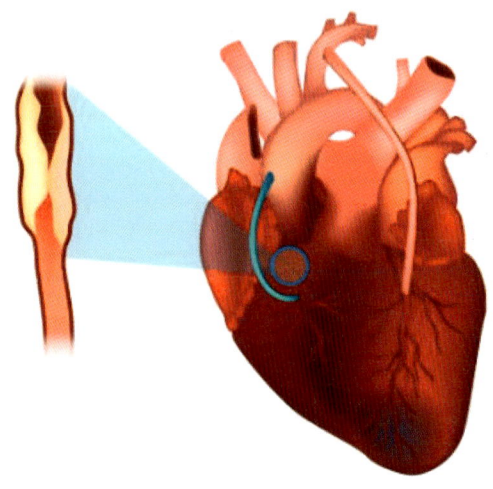

■ 관상동맥우회술_TOP5
(단위 : 명, 건)

상병코드	수술질환별	수술인원	수술건수
I20	협심증	1,494	1,624
I25	만성허혈성심장병	1,334	1,363
I21	급성심근경색증	1,053	1,153
I35	비류마티스성 대동맥판장애	359	378
I71	대동맥 동맥류 및 박리	290	304

※ 출처 : 2022년 주요수술 통계연보 (국민건강보험공단, 2023)

관상동맥 성형술(=중재술)

좁아지거나 막힌 심장혈관을 대퇴동맥을 통해 삽입된 풍선카테터(도자) 및 스텐트를 통해 넓혀주는 시술

■ 스텐트삽입술_TOP5
(단위 : 명, 건)

상병코드	수술질환별	수술인원	수술건수
I20	협심증	32,289	33,631
I21	급성심근경색증	23,940	25,779
I25	만성허혈성심장병	8,096	8,331
I50	심부전	953	1,052
I35	비류마티스성 대동맥판장애	341	363

■ 풍선확장술_TOP5
(단위 : 명, 건)

상병코드	수술질환별	수술인원	수술건수
I20	협심증	4,632	4,807
I21	급성심근경색증	3,137	3,338
I25	만성허혈성심장병	1,409	1,446
I50	심부전	239	260
I46	심장정지	64	66

※ 출처 : 2022년 주요수술 통계연보 (국민건강보험공단, 2023)

고반물질30은 다모아미디어의 고유자산으로 무단 전제·복제 및 임의 사용시 저작권법 위반으로 5년이하의 징역 혹은 5천만원 이하의 벌금형이 부과됩니다.

질문 19: 심혈관질환은 수술을 많이 한다는데 매년 **수술인원**과 **수술건수**는 얼마나 되나요?

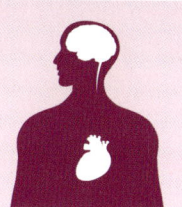

심혈관질환 수술관련 수술인원 및 건수 [상위 20위]

(단위 : 명, 건)

구분	코드	수술질환명	수술인원	수술건수
1	H25	노년성 백내장	371,464	588,384
2	K64	치핵 및 항문 주위 정맥 혈전증	148,061	149,878
3	H26	기타 백내장	71,396	113,178
4	K80	담석증	79,449	91,849
5	M17	무릎관절증	67,254	73,291
6	K35	급성충수염	64,818	68,946
7	M51	기타 추간판장애	61,454	63,738
8	M48	기타 척추병증	43,299	44,890
9	I20	협심증	37,306	39,290
10	O82	제왕절개에 의한 단일분만	38,664	38,814
11	S32	요추 및 골반의 골절	32,433	34,287
12	K40	사타구니 탈장	31,468	32,242
13	O33	알려진 또는 의심되는 불균형에 대한 산모관리	31,351	31,505
14	C22	간 및 간내 담관의 악성신생물	20,936	30,969
15	C73	갑상선의 악성신생물	28,780	29,636
16	I21	급성심근경색증	26,778	29,186
17	C50	유방의 악성신생물	27,948	29,059
18	O34	골반기관의 알려진 또는 의심되는 이상에 대한 산모관리	27,651	27,870
19	J32	만성부비동염	23,032	23,866
20	S72	대퇴골의 골절	18,348	20,867

※ 출처 : 2022년 주요수술통계연보(국민건강보험공단, 2023)

특징1
심혈관질환은 수술을 자주

수술빈도
- 협심증 : 9위
- 급성심근경색증 : 16위

특징2
심혈관질환은 진료비가 비싸

- 관상동맥우회술 : 33,785천원
- 스텐트삽입술 : 10,814천원
- 경피적관상동맥확장술 : 10,048천원

특징3
심혈관질환은 남성이 3배

- 관상동맥우회술 : 남자가 3.5배 多
- 스텐트삽입술 : 남자가 3.0배 多
- 경피적관상동맥확장술 : 남자가 2.9배 多

뇌심다빈도

고반물질30은 다모아미디어의 고유자산으로 무단 전제·복제 및 임의 사용시 저작권법 위반으로 5년이하의 징역 혹은 5천만원 이하의 벌금형이 부과됩니다.

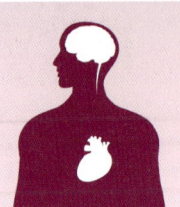

질문 20: 심장질환에 관해 보험영업에 유익한 정보가 있으면 알려 주세요?

부정맥은 흔한 질병이다!!!

"부정맥이 뇌출혈보다 4.6배 많다!!!"

(단위: 명, 건)

코드	상병명	환자수	비고
I20	협심증	705,722	
I21	급성심근경색증	131,160	
I47	발작성 빈맥	54,510	부정맥 475,922명
I48	심방세동 및 조동	259,052	
I49	기타 심장부정맥	162,360	
I60	지주막하출혈	36,258	뇌출혈 104,503명
I61	뇌내출혈	57,878	
I62	기타 비외상성 두개내 출혈	10,367	
I63	뇌경색증	519,533	

※ 출처 : 보건의료빅데이터개방시스템 (2023)

"기타 심장질환의 절반 이상은 부정맥이다!!!"

기타 심장질환 I30~I52 중

- I47 발작성 빈맥 : 6.1%
- I48 심방세동 및 조동 : 29.2%
- I49 기타 심장부정맥 : 18.3%

53.6%

※ 출처 : 보건의료빅데이터개방시스템(2023)

갱년기 여성 심장질환 조심해라!!!

"남성은 일찍 오고, 여성은 늦게 와요"

급성심근경색증(I21) 발병 비교

코드	40대↓	50대	60대	70대	80대↑
남자	10.8%	24.9%	33.3%	20.7%	10.3%
여자	3.4%	8.3%	21.4%	31.6%	35.3%

※ 출처 : 보건의료빅데이터개방시스템(2023)

"가슴 통증 없는데 심장병? 여성은 흉통 드물어 골든타임 놓치기 쉬워요"

- 심근경색증의 경우 남성은 심근경색에 걸리면 가슴을 쥐어짜는 통증이 전형적으로 나타난다면, 여성환자는 흉통없이 발병하는 경우가 많음
- 심장질환은 여성이 남성보다 평균 10년 늦게 나타남 : 폐경과 관련 폐경이후 급격하게 증가해 남성을 추월함

※ 출처 : 중앙일보, 2017.07.19

"여성이 남성보다 심장마비 후 사망확률 2배 더 ↑"

- 국내 급성심장정지 환자 건수는 1년에 약3만명, 남자가 여자보다 2배 더 많지만, 여성이 남성보다 심장 마비후 사망확률은 더 높음
- 폐경후 여성은 비슷한 나이의 남성보다 심근경색 후 단기, 장기 결과가 더 나빴음

※ 출처 : 케미컬뉴스, 2023.05.25

목차 [질문 21~30번]

다빈도질병 [21~30번]

21. 콜레스테롤에 대해 자세히 설명해 주세요?
22. 반드시 준비해야 하는 '갱년기 여성질환'?
23. 평생을 관리해야 하는 무서운 질병, '당뇨병'?
24. 당뇨합병증[뇌·심·안·신·간·족]
25. 당뇨합병증에 대해 자세히 설명해 주세요?
26. 고혈압이 뭔가요?
27. 3고(苦)질병 [고혈압/고지혈/고혈당]?
28. 후유장해 지급 방법?
29. 장해지급율 [장해율별 분류]?
30. 장해지급율 [신체부위별 분류]?

뇌심다빈도

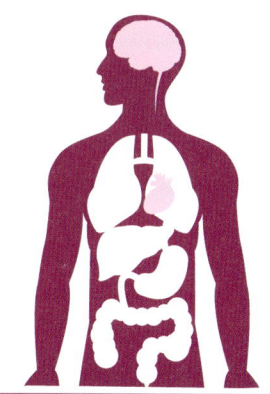

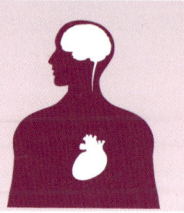

질문 21

콜레스테롤에 대해 자세히 설명해 주세요?

콜레스테롤 검사 기준표

단위 : mg/㎗

검사항목	양호	경계	나쁨
총 콜레스테롤 [혈관의 총교통량]	<200	200~239	≥240
중성지방 [혈관속 기름저장 탱크]	<150	150~199	200~499
저밀도 콜레스테롤(LDL) [혈관 유조차]	<100 / 100~129 (양호)　(높은정상) - 당뇨병 환자나 심장병 환자 : 100mg/㎗이하 권장 - 당뇨병과 심장병을 함께 가지고 있는 환자 : 70mg/㎗이하 권장	130~159	160~189
고밀도 콜레스테롤(HDL) [혈관 청소차]	<60	-	<40

출처 : 미국국립보건원

고반물질30은 다모아미디어의 고유자산으로 무단 전제·복제 및 임의 사용시 저작권법 위반으로 5년이하의 징역 혹은 5천만원 이하의 벌금형이 부과됩니다.

질문 22 반드시 준비해야 하는 **갱년기 여성질환**?

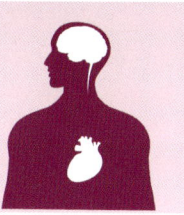

갱년기 [45세~폐경전후] 여성질환 : 폐경과 골다공증

갱년기 고객_보완이 필요한 항목

① **LTC간병보험**
② **여성용 암보험** = **유방암**중심 [55세이전 암발병, 빨리가입, 20년전기납]
③ **당뇨**와 **합병증**
④ **협심증**과 **급성심근경색증** [55세이후 급격 증가 : 에스트로겐 분비 중단(폐경)]
⑤ **입원비**와 **수술비** 보완

뇌심다빈도

폐경이후 여성 : 화병, 소화불량등으로 오해
여성의 심장질환 위험 급격히 높아짐

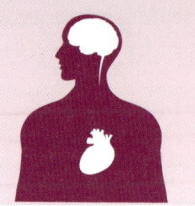

질문 23 평생을 관리해야 하는 무서운 질병, **당뇨병**?

당뇨병의 분류

소아당뇨 [1형당뇨병]	구분	비만당뇨 [2형당뇨병]
전체 당뇨환자중 **4.2%**	발병비율	전체 당뇨환자중 **95.8%**
췌장의 인슐린 분비 기능이 망가져 생김	발생원인	**인슐린**에 대한 **반응성**이 떨어져서 발생
인슐린주사를 맞아야 하는 '인슐린 의존형 당뇨병'	인슐린 관련성	인슐린주사를 안맞아도 관리 가능한 '인슐린 비의존형 당뇨병'
30세이전에 많이 발생하므로 '소아당뇨'	발생나이	주로 비만한 성인에게 많이 발생하므로 '비만당뇨'

5년동안 25%증가 / 30세이상 성인 3명중 1명
당뇨환자 1천만명 / 당뇨환자 3명중 1명 합병증

질문 24

당뇨합병증 [뇌·심·안·신·간·족]

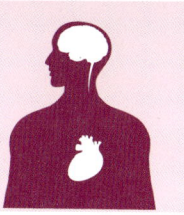

당뇨병이 무서운 이유는 당뇨병으로 인한 합병증때문

혈액에 포도당이 많아져 피가 뻑뻑해지면서 아래의 합병증 발생

- 뇌혈관질환 [뇌혈관의 문제] : **뇌경색** 또는 **뇌출혈**
- 심장질환 [관상동맥 문제] : **협심증, 심근경색증**
- 안구질환 [소혈관(미세혈관)] : **당뇨병성망막변증**
- 신장질환 [사구체(미세혈관)] : **만성신부전증**
- 간질환 [지방이 간에 쌓임] : **지방간 -> 간경화 -> 간경변 -> 간암**
- 족부병변 [몸에서 제일 먼 곳] : **당뇨발 -> 족부절단**

뇌심다빈도

**당뇨병환자 3명중 1명은
당뇨병 합병증에 시달린다!!!**

질문 25: 당뇨합병증에 대해 자세히 설명해 주세요?

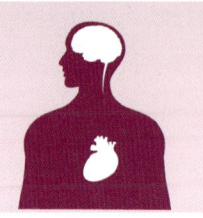

구분	대혈관 합병증	미세혈관 합병증	당뇨병성 족부병변
발생원인	당뇨병으로 **큰 혈관**에 문제	당뇨병으로 **미세혈관**에 문제	당뇨병성 **신경병증**과 **혈액순환**이 안되어 생기는 문제
유발질병	- 죽상경화증등으로 관상동맥 문제 : **협심증, 심근경색** - 뇌혈관, 경동맥이 좁아지면 : **뇌혈관질환**	- 눈속 망막에 혈관문제 : **당뇨병성 망막병증** - 신장의 가는 혈관 문제 : **당뇨병증 신증(신부전)**	당뇨병성 신경병증으로 **발에 상처**가 생기기 쉽고, 혈액순환이 나빠지면 상처가 쉽게 낫지 않는 질환
유발질병 예시	협심증, 심근경색 / 뇌혈관질환	당뇨병성 망막병증 / 당뇨병성 신증(신부전)	당뇨병성 족부병변

출처 : 보건복지부, 대한의학회

질문 26: **고혈압**이 뭔가요?

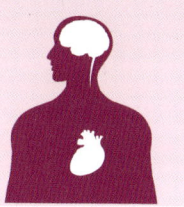

高血壓

고혈압 : **수축기 혈압 140mmHg이상** 또는 **이완기 혈압 90mmHg이상**

고혈압 (침묵의 살인자 = 조용한살인자) : 각종 장기에 **치명적**인 **손상**

고혈압합병증 : **관상동맥질환**과 **뇌졸중, 신부전**등 전신에 걸쳐 다양한 합병증

☐ 1차성 고혈압 (=원발성=본태성 고혈압) : **원인**을 **모르는** 고혈압
  : **유전적/환경적(음주,흡연)/운동부족**

☐ 2차성 고혈압 (=속발성 고혈압) : **원인**이 **명백한** 고혈압
  : 특별한 외부 원인에 의해 고혈압이 발생 - **분비질환/신장질환/혈관질환**

뇌심다빈도

전체 고혈압의 **90%이상**이
원인을 모르는
'**일차성 고혈압**'

고반물질30은 다모아미디어의 고유자산으로 무단 전제·복제 및 임의 사용시 저작권법 위반으로 5년이하의 징역 혹은 5천만원 이하의 벌금형이 부과됩니다.

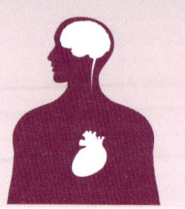

질문 27 : 고혈압·고지혈증·고혈당(당뇨병)

혈관을 망가뜨리는 3대질환 (3꿈질환)
: 고혈압·고지혈증·고혈당(당뇨병)

3꿈질환이 유발하는 합병증
: 뇌졸중, 급성심근경색증, 말기신부전증 등 치명적 질병의 원인

조기발견 문제점
① 無자각증상
② 無관심
③ 無인식
④ 無인정

4無

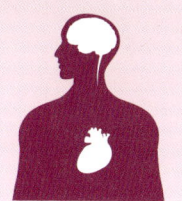

질문 28. 후유장해 지급방법

합산
동일사고 다른부위

사고로 팔 장해 : 30%
다리 장해 : 30%

합산 60%

큰장해율
동일사고 같은부위

화재사고로 절단 : 60%
팔 화상 : 10%

큰장해율 60%

각각
다른사고 다른부위

3년전 교통사고로 다리 : 20%
6개월전 낙상사고로 팔 : 30%

각각 20%, 30%

차액
다른사고 같은부위

3년전 교통사고로 왼쪽 발목 : 20%
6개월전 낙상사고로 왼쪽 발목 : 30%

20% 받고 차액 10% 추가

뇌심다빈도

고반물질30은 다모아미디어의 고유자산으로 무단 전제·복제 및 임의 사용시 저작권법 위반으로 5년이하의 징역 혹은 5천만원 이하의 벌금형이 부과됩니다.

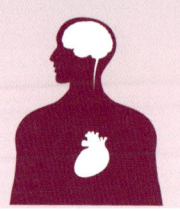

질문 29: 장해지급율 [장해율별 분류]?

구분	후유장해
장해율 5%	한 쪽의 교정시력 0.2이하 / 치아 5개이상 결손
장해율 10%	첫번째 발가락 상실시
장해율 15%	첫번째 손가락 상실시 / 한쪽의 교정시력 0.1이하
장해율 20%	비장 또는 한쪽의 신장, 한쪽의 폐를 절개 / 인공항문 설치 / 음경 1/2이상 결손, 질구 협착등으로 성생활 불가능 / 치아 14개이상 결손
장해율 30%	- 팔의 3관절 (어깨,팔꿈치,손목)중 1관절 인공관절, 인공골두 삽입술 - 다리의 3관절(고관절,무릎,발목관절)중 1관절 인공관절, 인공골두 삽입술
장해율 40%	약관의 치매 (CDR척도 2점)
장해율 50%	소장 또는 간장의 3/4이상 잘라 냈을 때 / 양쪽의 고환 또는 양쪽 난소를 모두 잃었을 때
장해율 60%	뚜렷한 치매 (CDR척도 3점)
장해율 75%	심장, 폐, 신장, 간 이식 또는 혈액투석 / 방광기능 상실
장해율 5~80%	50cm이상의 거리에서 보통의 말 소리를 못 알아듣거나 두 귀의 청력을 완전히 상실
장해율 5~100%	일상생활 기본동작 제한 (이동, 음식물섭취, 배변, 배뇨, 목욕, 옷벗고 입기)

고반물질30은 다모아미디어의 고유자산으로 무단 전제·복제 및 임의 사용시 저작권법 위반으로 5년이하의 징역 혹은 5천만원 이하의 벌금형이 부과됩니다.

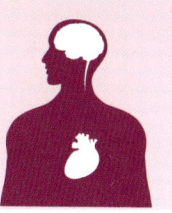

질문 30: 장해지급율 [신체부위별 분류]?

구분	눈	귀,코	입,추상	척추	복부	팔	다리	손가락	발가락	신경
100%	두눈 실명		씹기X / 말하기X			두손목 절단	두발목 절단	10손가락 절단		일상생활 장애 / 완전치매
80%		청력상실	씹기X, 말하기X		심한장해					심한치매
60%						한손목X	한발목X		10발가락 절단	
50%	한눈 실명			심한기형	뚜렷한장해			5개절단		
40%		양쪽청력X		심한운동장해					한발중족X	정신장해 치매,간질
30%	한눈 0.02			장해,기형		1관절X	1관절X	5개뚜렷	5개X	
20%	한눈 0.08	한귀청력X	치아14개 상실	심한디스크	약간의장해	1관절 뚜렷	1관절 뚜렷			
10%	한눈 장해 / 눈꺼풀결손		치아7개 상실	약간장해 / 약간디스크	갈비뼈기형			1손가락X	첫째X	약간 간질
5%	한눈 0.2 / 눈꺼풀장해	한귀 장해 / 코장해	치아5개 상실 / 약간추상			1관절 약간 / 한팔뼈기형	1관절 약간 / 다리1cm↓	기타뚜렷	기타X	

뇌심다빈도

고객이 반드시 물어보는 질문 30가지

손해보험 | 골퍼를 위한 보험 | 스포츠의 '꽃' : 골프(golf)
이제 **골프보험**으로 **자신있게 스윙**하세요!!!

골프보험

고반물질30은 **다모아미디어**의 고유자산으로 무단 전제·복제 및 임의 사용시 저작권법 위반으로 5년이하의 징역 혹은 5천만원 이하의 벌금형이 부과됩니다.

목차

1. 골프보험이 무엇이고 왜? 가입하나요?
2. 골프의 기원/어원/역사가 어떻게 되나요?
3. 골프용어에 대해 설명해 주세요?
4. 골프타수에 대해 설명해 주세요?
5. 골프장의 구성에 대해 설명해 주세요?
6. 골프를 시작하고 싶은데 골프채[클럽]에 대해 설명해 주세요?
7. 골프타수 용어가 새[BIRD]에서 유래되었다는데 사실인가요?
8. 골프 홀컵은 왜? 108mm인가요?
9. 골프공은 왜? 수 많은 구멍이 나 있나요?
10. 우리나라 골프장수/골프인구는 얼마나 되나요? 외국과 비교하면 골프 인프라는 어떤 가요?
11. 골프대회 명칭에 대해 자세히 설명해 주세요?
12. 정규와 퍼블릭골프장은 어떤 차이가 있나요?
13. 홀인원은 하기가 어렵나요?
14. 홀인원[알바트로스]을 하면 3년간 재수가 좋다던데요? 사실인가요?
15. 홀인원[알바트로스]을 하면 축하비용이 얼마나 들어가나요?
16. 홀인원[알바트로스]을 하면 어떤 절차를 거쳐야 하나요?
17. 홀인원하면 골프장에서 인증서를 준다면서요?
18. 홀인원 담보가 300만원 한도라는데 가입금액을 더 높일 수는 없나요?
19. 스크린골프장에서 홀인원을 해도 골프보험에서 보상되나요?
20. 해외골프장에서 홀인원해도 홀인원 보상되나요?
21. 골프용품손해[골프장내]가 무엇인가요?
22. 골프활동중과 일상생활중 배상책임과는 어떤 차이가 있나요?
23. 내가 친공이 다른 사람을 다치게 하면 골프장에서 보상하나요?
24. 내가 친공이 골프장의 유리를 깨면 골프장에서 보상하나요?
25. 골프보험 보험료는 얼마나 나오나요?
26. 100%환급되는 골프보험은 없나요?
27. 골프보험 가입시 골프용품 세부목록이 있어야 한다던데 세부목록은?
28. 골프보험을 가입할 때 세부절차에 대해 알려주세요?
29. 보험금청구서류에 대해 알려주세요?
30. 골프 관련 유머

고반물질30은 다모아미디어의 고유자산으로 무단 전제·복제 및 임의 사용시 저작권법 위반으로 5년이하의 징역 혹은 5천만원 이하의 벌금형이 부과됩니다.

목차 [질문 1~10번]

1. 골프보험이 무엇이고 왜? 가입하나요?
2. 골프의 기원/어원/역사가 어떻게 되나요?
3. 골프용어에 대해 설명해 주세요?
4. 골프타수에 대해 설명해 주세요?
5. 골프장의 구성에 대해 설명해 주세요?
6. 골프를 시작하고 싶은데 골프채[클럽]에 대해 설명해 주세요?
7. 골프타수 용어가 새[BIRD]에서 유래되었다는데 사실인가요?
8. 골프 홀컵은 왜? 108mm인가요?
9. 골프공은 왜? 수 많은 구멍이 나 있나요?
10. 우리나라 골프장수/골프인구는 얼마나 되나요?
    외국과 비교하면 골프 인프라는 어떤 가요?

질문 01: 골프보험이 무엇이고 왜? 가입하나요?

 골프채의 **파손, 도난**에 대한 보상 [※**분실**은 **면책**]

 **홀인원(알바트로스포함)**을 함으로써 발생하는 **소요비용**을 가입금액내 **실손보상**

 **골프중(연습포함)** 발생하는 **제3자**의 **신체**나 **재산**상의 피해를 보상하는 **배상책임**

 **중도인출금**으로 '**골프투어자금**' 활용

 **만기환급금**으로 '**골프용품교체, 골프투어비용**' 활용

고반물질30은 다모아미디어의 고유자산으로 무단 전제·복제 및 임의 사용시 저작권법 위반으로 5년이하의 징역 혹은 5천만원 이하의 벌금형이 부과됩니다.

질문 02: 골프의 기원/어원/역사가 어떻게 되나요?

 골프의 기원

- 골프는 **스코틀랜드** 지방의 **목동**들이 초원에서 양을 치면서 무료함을 달래기 위해 **돌멩이들을 막대기로 장난 삼아 토끼굴로 굴러 넣기 시작한 것**이 오늘날의 **골프경기의 기원**
- **양**들이 풀을 뜯던 **초원(페어웨이)**, **토끼굴 주변(그린)**, **돌멩이(골프볼)**, 양을 돌보던 **막대기(골프클럽)**
- **토끼**를 잡기 위해 **함정**을 만들거나 찬바람이 불 때 **양**들을 **피신**시키기 위해 판 것이 **(벙커)**의 유래

 골프의 어원

- 골프란 말은 **네덜란드 단어 중**에 club이라는 뜻의 **kolf 에서 파생**된 것, 14세기 말 네덜란드 언어로 변형 되었다가 **16세기 말**에 와서 오늘날의 **골프(GOLF)**라는 단어가 되었다고 함

 골프의 역사

- 골프의 역사는 학자에 따라 다소간의 견해 차이는 있지만 **스코틀랜드**에서 **1457년경 시작**된 것으로 봄
- 1996년 타이거우즈, **1998년** 우리나라 최초로 **박세리선수가 LPGA에서 최연소**로 **우승**
- 2000년 타이거 우즈는 4차례 메이저대회 우승으로 그랜드 슬램 달성
- **2005년 최경주선수가 미국 PGA 투어 크라이슬러 클래식**에서 **우승**
- **2007년 박세리 선수**가 **아시아인 최초**로 **명예의 전당**에 이름을 올림

질문 03: 골프용어에 대해 설명해 주세요?

- **티 박스** : 해당홀의 첫 타를 치는 구역
- **티 샷** : 티 박스에서 치는 첫타
- **티 오프(tee-off)** : 첫홀에서 티샷을 하는 행위
- **티 타임** : 첫 티 오프를 하는 시간
- **부킹** : 티 타임을 예약하는 행위
- **온 그린** : 샷을 한 공이 그린에 올라감
- **어프로치** : 그린에 있는 핀(홀)으로 공을 가까이 붙이기 위한 샷
- **홀인원** : par3홀에서 한번의 샷으로 공을 넣는것
- **버디** : 해당홀 규정 타수보다 1타 적은 스코어로 홀인을 함
- **이글** : 해당홀 규정 타수보다 2타 적은 스코어로 홀인을 함
- **알바트로스** : 해당홀 규정 타수보다 3타 적은 스코어로 홀인을 함
- **파** : 해당홀 규정 타수와 같은 스코어로 홀인을 함
- **보기** : 해당홀 규정 타수보다 1타 많은 스코어로 홀인을 함
- **더블 보기** : 해당홀 규정 타수보다 2타 많은 스코어로 홀인을 함
- **트리플 보기** : 해당홀 규정 타수보다 3타 많은 스코어로 홀인을 함
- **쿼트러플 보기** : 해당홀 규정 타수보다 4타 많은 스코어로 홀인을 함
- **더블파(=양파)** : 해당홀 규정 타수보다 2배 많은 스코어로 홀인을 함
- **아웃 오브 바운스(OB)** : OB구역으로 공을보냄
- **프로** : 골프를 직업으로 삼은 사람
- **세미 프로** : 우리나라에서 프로가 되기 위한 1차 관문을 통과한 준프로
- **티칭 프로** : 가르치는 것을 주 업으로 하는 프로
- **투어 프로** : 시합으로 상금을 획득함을 주업으로 하는 프로
- **비기너** : 이제 막 골프를 시작한 초보자
- **보기 플레이어** : 평균 홀 스코어가 보기인 플레이어
- **싱글 플레이어** : 1라운드(72홀) 평균 9오버 파 이내의 플레이어
- **라운드** : 18홀을 도는 골프 한게임
- **오버파** : 규정 타수보다 스코어가 더 많이 나온것
- **이븐파** : 규정 타수와 같은 스코어
- **언더파** : 규정 타수보다 적은 스코어
- **라이** : 공이 놓여있는 곳의 기울기
- **퍼팅** : 퍼터로 공을 홀쪽으로 굴림
- **핸디캡** : 72타를 기준으로 스코어에 타수를 가감하는 것
- **헤드업** : 임팩트를 보지 못하고 머리를 미리 들어올리는 현상
- **생크** : 샷을 할 때 공이 클럽샤프트의 목부분에 맞는 미스샷
- **셋업** : 골프공을 치기 위해 자세를 잡는 어드레스 동작
- **드로우** : 볼의 궤적이 오른쪽에서 왼쪽으로 약간 휘는 샷
- **슬라이스** : 볼의 궤적이 왼쪽에서 오른쪽으로 약간 휘는 샷
- **훅** : 타구가 비구선보다 왼쪽으로 꺾여 휘는 것
- **스탠스** : 골프공에 두 발의 위치를 잡고 타구자세를 취하는 것
- **칩샷** : 20m이내의 그린 안팎에서 홀을 향해 공을 치는 것
- **캐디** : 경기에 필요한 제반 일을 도와 주는 사람
- **캐리** : 볼의 비거리 샷을 하는 지점에서 볼이 땅에 떨어진 지점까지의 거리
- **클럽하우스** : 제반업무,식당,샤워실,옷장등 고객을 위한 서비스를 위해 지어진 건물
- **클럽 페이스** : 골프 볼을 치기위한 클럽 헤드의 타구면
- **클럽 헤드** : 볼을 치기 위해 만들어진 클럽의 머리부분
- **클럽 세트** : 골프를 지기 위한 장비 [**공식경기:14개**로 제한]
- **코스** : 골프를 경기를 하는 장소
- **디벗**, 디버트 : 골프 클럽에 의해 파여진 잔디
- **다운(down)** : 경기 중 선수가 지고 있는 경우를 지칭하는 말
- **업(up)** : 경기 중 선수가 이기고 있는 경우를 지칭하는 말
- **다운 스윙** : 백 스윙의 탑에서 임펙트 전까지의 스윙
- **드라이빙 레인지** : 골프 연습장
- **얼라인먼트** : 타깃에 대한 몸과 클럽의 정렬 (=Aiming)
- **에지** : 그린 주위의 짧게 깎아진 잔디 지역
- **스트로크플레이** : 18홀중 총타수를 비교해 결정하는 방식
- **신페리오방식** : 파의 합계가 48이 되도록 12홀의 숨긴 홀을 선택하여 경기 종료 후 12홀에 해당하는 스코어 합계를 1.5배하고 거기에서 파를 뺀 80%를 핸디캡으로 하는 산정 방식
- **잠정구** : 공이 분실 되어 5분내 원구를 못 찾거나 OB인 경우 다시 치는 경우
- **PAR3,PAR4,PAR5** : 홀까지 3,4,5번만에 넣어야 하는 홀
- **72타** : 파3홀[4개], 파4홀[10개], 파5홀[4개]가 일반적
- **벙크샷** : 그린주변 모래가 있는 곳에서 하는 샷

고반물질30은 다모아미디어의 고유자산으로 무단 전제·복제 및 임의 사용시 저작권법 위반으로 5년이하의 징역 혹은 5천만원 이하의 벌금형이 부과됩니다.

질문 04: 골프타수에 대해 **설명**해 주세요?

3홀			4홀			5홀		
공친횟수	스코어	명칭	공친횟수	스코어	명칭	공친횟수	스코어	명칭
						1타	-4점	홀인원
			1타	-3점	홀인원(알바)	2타	-3점	알바트로스
1타	-2점	홀인원(이글)	2타	-2점	이글	3타	-2점	이글
2타	-1점	버디	3타	-1점	버디	4타	-1점	버디
3타	**0**	**파**	**4타**	**0**	**파**	**5타**	**0**	**파**
4타	+1점	보기	5타	+1점	보기	6타	+1점	보기
5타	+2점	더블보기	6타	+2점	더블보기	7타	+2점	더블보기
6타	+3점	더블파(양파)	7타	+3점	트리플보기	8타	+3점	트리플보기
			8타	+4점	더블파(양파)	9타	+4점	쿼트러플보기
						10타	+5점	더블파(양파)

- **골프** : 파를 기본으로 정해 놓고 **타수를 적게 쳐야 이기는 경기**
- **언더파(-)**일 수록 **잘 친 점수**이고 오버파(+)일 수록 못 친 점수

골프보험

질문 05 : 골프장의 구성에 대해 설명해 주세요?

■ **골프코스**는 18홀 [파3:4개, 파5:4개, 파4:10개=72타]을 한 단위로 구성, 1개의 홀은 **티잉 그라운드**(Teeing Ground), **스루 더 그린**(Through the Green), **그린**(Green), **해저드**(Hazard) 의 **4개 구역**으로 구성되어 있다.

■ **티잉 그라운드(Teeing Ground)** : 약칭은 **티**. 각 홀의 출발구역

■ **스루 더 그린(Through the Green)** : 페어웨이 + 러프
- **페어웨이(fairway)** : 공을 타격하기 좋게 항상 **잔디를 짧게 깎아놓은 구역**
- **러프(rough)** : 페어웨이 이외의 **의도적인 비정비**(非整備) 지대로, **잡초·관목**(灌木) ·**수림** 등으로 잘못 친 샷(shot)으로 다음 타구를 **어렵게 만들어 놓은 지역**

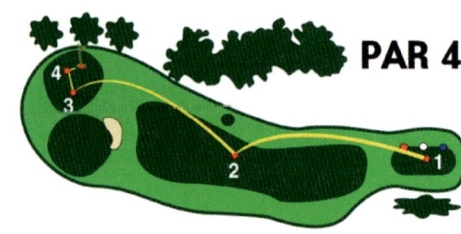

■ **그린(Green)** : 퍼팅을 하기 위해 **잔디를 짧게 깎아** 정비 해 **둔 지역**. 그린위에는 각 홀의 플레이 마지막에 공을 넣는 108mm 구멍을 홀 또는 컵(cup), 멀리서도 컵의 위치를 알 수 있는 깃대를 꽂아둠

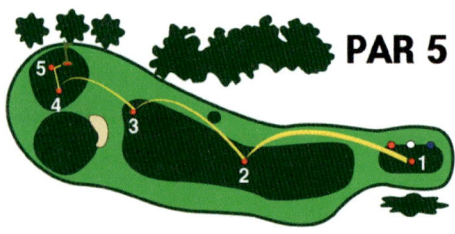

■ **해저드(Hazard)** : 코스의 난이도 또는 조경을 위해 설치한 장애물로 **벙커**와 **워터해저드** 가 있음
- **벙커(bunker)** : 움푹 패인 곳에 **모래가 깔려 있는 곳**으로 의도적으로 치기 어렵게 만들어 둔 지역
- **워터해저드(water hazard)** : 바다·호수·하천·연못·고랑·크리크 등의 **물이 있는 수역**(水域)

질문 06. 골프를 시작하고 싶은데 골프채[클럽]에 대해 설명해 주세요?

구분		NO	명칭	재원			표준비거리 (야드)	비고
				길이(인치)	표준(Loft)	표준(Lie)		
우드		1	드라이버	45	10	57	220~230	주로 티샷을 할 때 사용
		2	브래시	43.5	12	57.5	210~220	
		3	스푼	43	14	57.5	200~210	
		4	배피	42.5	17	58	190~200	
		5	클리크	42	21	58	170~190	
아이언	롱아이언	1	드라이빙아이언	40	15	57	190~200	주로 세컨샷을 할 때 사용
		2	미드아이언	39.5	17	57.5	180~190	
		3	미드매쉬	39	20	58	170~180	
	미들 아이언	4	매쉬아이언	38.5	23	58.5	160~170	거리에 맞춰 클럽을 선택후 온그린시 사용
		5	매쉬	38	26	59	150~160	
		6	스패이드매쉬	37.5	30	60	140~150	
	숏아이언	7	매쉬니블리크	37	34	61	130~140	
		8	피칭니블리크	36.5	38	62	120~130	
		9	니블리크	36	42	63	110~120	
	웨지	P/W	피칭웨지	35.5	46	63.5	80~100	근거리에서의 숏게임시 사용
		A/W	어프로치웨지	35	51	63.5	80~90	그린주위의 어프로치용
		S/W	샌드웨지	35	56	63.5	70~80	주로 벙커샷을 할 때 사용
퍼터				33~34	5~6			주로 그린위에서 사용

골프보험

고반물질30은 다모아미디어의 고유자산으로 무단 전제·복제 및 임의 사용시 저작권법 위반으로 5년이하의 징역 혹은 5천만원 이하의 벌금형이 부과됩니다.

질문 07: 골프타수 용어가 새[BIRD]에서 유래되었다는데 사실인가요?

버디[Buddy] : -1 [1타 적게] 조지 크럼프라는 골퍼가 홀에 한 뼘 정도로 붙였는데 "**멋진 샷이야 (That was a bird of a shot)**", 당시엔 버드가 '뛰어난(excellent)'이란 뜻

이글 [Eagle] : -2 [2타 적게]
: 빠르고 정확한 독수리처럼 샷을 정확하고 멀리칠 수 있어야 가능하다고 붙인 이름

알바트로스 [Double Eagle] : -3 [3타 적게]
: 파4에서 1번만에, 파5에서 2번만에 홀인, **200만분의 1의 확률**

콘도르 [Condor] : -4 [4타 적게]
: 파5에서 1번만에 홀인, **골프역사상 현재 4명달성**

오스트리치 [Ostrich] : -5 [5타 적게]
: 파6에서 홀인원, **달성자 없음**

피닉스 [Phoenix] : -6 [6타 적게]
: 파7에서 홀인원, **달성자 없음**

고반물질30은 다모아미디어의 고유자산으로 무단 전제·복제 및 임의 사용시 저작권법 위반으로 5년이하의 징역 혹은 5천만원 이하의 벌금형이 부과됩니다.

질문 08

골프 홀컵은 왜? 108mm인가요?

108mm [4.25인치]

처음 골프가 생겼을 때는 홀 자체가 없었다 함

그린 위에 작은 구멍만 파두고 홀컵으로 이용했는데 파둔 구멍은 비가 오거나 하면 홀이 자꾸 없어져서 당시 '탐 모리스'라는 골프선수이자 그린키퍼가 모든 홀에 컵을 만들어 둠
이때부터 홀의 역사가 시작된 것이라 봄

① 성인 남자 손으로 꺼낼 수 있는 최소한의 크기였다는 설

② 홀컵을 뚫는 기계가 108mm라서 홀컵의 크기가 108mm로 결정되었다는 설

어쨌든 공을 꺼내기 쉽고 들어가기도 쉬운 크기가 108mm라 할 수 있습니다.

골프보험

1991년에 지름 10.8cm, 깊이 10cm이상이라는 골프 룰로 정해짐

질문 09

골프공은 왜? 수 많은 구멍이 나 있나요?

 ## 딤플(Dimple)이란? 골프공의 구멍

: 딤플은 매끈한 공보다 공기 저항을 감소시켜 거리 향상을 만들어 준다.

- **딤플**이 있는 경우 : **비거리 130m**
  딤플이 없는 경우 : **비거리 100m**
- **딤플갯수 : 300~500개**
- **딤플**의 **표준지름 : 0.25mm**

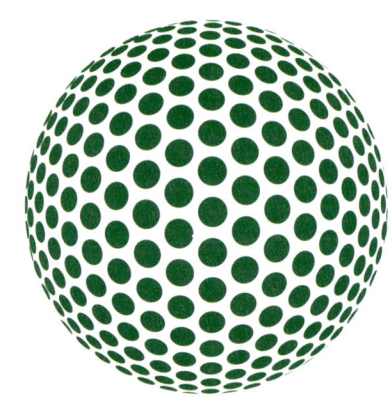

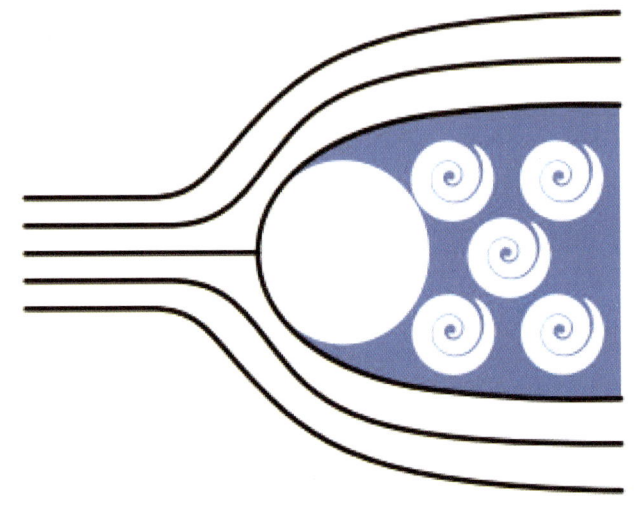

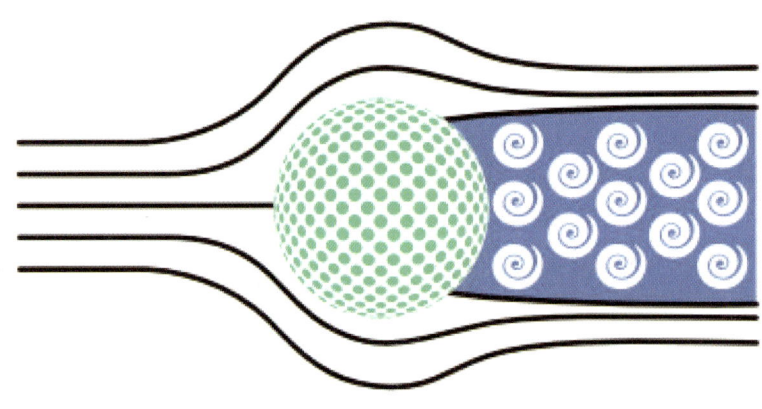

질문 10

우리나라 골프장수/골프인구는 얼마나 되나요? 외국과 비교 하면 골프 인프라는 어떤 가요?

순위	국가	골프코스 수	골프장 수
1	미국	16,156	14,139
2	일본	3,140	2,202
3	영국	3,101	2,660
4	캐나다	2,564	2,200
5	호주	1,584	1,501
6	독일	1,054	737
7	프랑스	811	645
8	대한민국	810	447
9	스웨덴	650	463
10	중국	617	402
11	스페인	493	408
13	뉴질랜드	416	399
18	태국	317	235
19	이탈리아	312	264
20	인도	298	282

※ 2023 The R&A 세계골프코스 & 골퍼수 발표자료 참고

대한민국 골프 인프라 : VERY GOOD

□ **우리나라 골프인구**
약 1,176만명(추산), 세계 8위

- 1,176만명중 실제 골프장 내장객은 약483만명
  나머지는 스크린골프나 실내외 골프연습장만 이용한 숫자
- 20세 이상 성인의 약 31.5%
- 골프장 447개, 스크린 골프장 약 8,500개
- 여성 및 2030 MZ세대 골프인구 급증
- 골프예능프로그램 증가
- MZ세대 이탈 가속 중 : 공은 안맞고 그린피는 너무 비싸고
- 착한골프장 : 그린피 10만원대(평일기준)를 지키는 대중 골프장에게 기존 세제혜택 유지

□ **성별분포**

남자 : 55% 여자 : 45%

※ 2023 The R&A 세계골프코스 & 골퍼수 발표자료 참고

목차 [질문 11~20번]

11. 골프대회 명칭에 대해 자세히 설명해 주세요?

12. 정규와 퍼블릭골프장은 어떤 차이가 있나요?

13. 홀인원은 하기가 어렵나요?

14. 홀인원[알바트로스]을 하면 3년간 재수가 좋다던데요? 사실인가요?

15. 홀인원[알바트로스]을 하면 축하비용이 얼마나 들어가나요?

16. 홀인원[알바트로스]을 하면 어떤 절차를 거쳐야 하나요?

17. 홀인원하면 골프장에서 인증서를 준다면서요?

18. 홀인원 담보가 300만원 한도라는데 가입금액을 더 높일 수는 없나요?

19. 스크린골프장에서 홀인원을 해도 골프보험에서 보상되나요?

20. 해외골프장에서 홀인원해도 홀인원 보상되나요?

질문 11: 골프대회 명칭에 대해 자세히 설명해 주세요?

□ 골프 대회명칭중

'OO오픈'대회 : 프로와 아마추어 상관없이 참가할 수 있는 대회

'OO인비테이셔날' 대회 : 원칙적으로 주최측이 초청하는 선수들만 참가할 수 있는 대회

'OO챔피언십' 대회: 프로만 참가 가능하며 최고로 명분 있는 대회로 'PGA챔피언십' 등이 있음

'O클래식'대회 : 프로만 참가하는게 원칙, 전통과 권위를 중요시하는 특별한 대회명을 지칭

□ 남자골프 4대 메이저대회 : 마스터즈, US오픈, PGA챔피언십(미국), THE OPEN(영국)
□ 여자골프 4대 메이저대회 : 나비스코챔피언십, LPGA챔피언십, US여자오픈, 브리티시오픈

※ 이 4개 메이저 대회를 모두 석권하면 '그랜드스램'이라 함.
※ 골프에서는 아직 한 해에 4대 메이저대회를 모두 석권한 그랜드슬래머는 없지만 여러 해에 걸쳐 4대 메이저대회를 모두 석권한 '커리어그랜드슬램'은 여러명임

□ KPGA : 한국프로골프협회
□ KLPGA : 한국여자프로골프협회
□ JPGA : 일본프로골프협회
□ JLPGA : 일본여자프로골프협회
□ PGA : 미국프로골프협회
□ LPGA : 미국여자프로골프협회

골프보험

ⓜ 고반물질30은 다모아미디어의 고유자산으로 무단 전제·복제 및 임의 사용시 저작권법 위반으로 5년이하의 징역 혹은 5천만원 이하의 벌금형이 부과됩니다.

질문 12. 정규와 퍼블릭골프장은 어떤 차이가 있나요?

구분	정규골프장	퍼블릭골프장
회원모집 폐쇄성	회원제	대중형[누구나]
세금부과	특소세, 종합토지세등 부과	세금없음
골프장 홀수	18홀이상	18홀이하도 가능
요금	퍼블릭보다 비싸다	정규홀보다 싸다
골프장 시설	퍼블릭보다 시설이 좋음	정규보다 시설이 상대적으로 떨어짐
설치법규	등록체육시설업	신고체육시설업
회원권 소유	있음	없음
부킹	회원우선	선착순
그린피 할인혜택	있음	없음
동반자 할인	있음	없음
홀인원보험 적용	적용가능	적용가능 [※ 72홀이상인 경우]
CC와 GC	골프장+기타스포츠시설	골프장만 있음

질문 13 홀인원은 하기가 어렵나요?

홀인원 확률 [하늘의 별따기???]

구분	확률	필요한 라운드(횟수)
투어프로	1/3,000	900
싱글골퍼	1/5,000	1,250
일반골퍼	1/12,000	3,000
일반골퍼(1500야드)	1/80,000	23,000
일반골퍼(1800야드)	1/150,000	40,000
싱글골퍼(2회)	1/67,000,000	67,000,000

출처 : 수학자 Dr.프랜시스 실드, 골프다이제스트

고반물질30은 다모아미디어의 고유자산으로 무단 전제·복제 및 임의 사용시 저작권법 위반으로 5년이하의 징역 혹은 5천만원 이하의 벌금형이 부과됩니다.

질문 14

홀인원 [알바트로스]을 하면 3년간 재수가 좋다던데요? 사실인가요?

홀인원 확률 : 아마추어 : 1만2천분의 1, 프로골퍼 : 3천5백분의 1
홀인원이 어려우니까 3년간, 5년간 재수가 좋을 거란 속설이 생겨남

- 장하나 선수 [2016년 1월 바하마클래식 셋째날] LPGA투어 역사상 첫 '파4홀 홀인원' 진기록 (1주일뒤 LPGA우승)
- 벼락에 맞을 100만분의 1 보다 낮고, 로또복권의 1등 당첨 확률 864만분의 1에 버금가는 행운이다.
- 김세영프로(13년 9월, KLPGA투어 최종일) : 1억5천만 벤츠 SUV G350 + 우승상금 3억원 = '4억5천만 잭팟'
- 배경은프로 : 홀인원으로만 자동차 2대 : 1억8000만원 상당의 BMW 750Li, 5천만원 제네시스
- 최유림프로 : BMW 750Li, 서하경프로 : 2억원이 넘는 BMW i8등
- 김효주프로 : 18년 LPGA 두번째 홀인원
- 노먼마레 : 총59회 최다보유자, 1964년 2홀연속 알바트로스, 홀인원을 함
- 보이드스톤(영국인) : 1년 11회 홀인원 (62년)
- 미셸위 : 12살때 홀인원, 17살때까지 6개 홀인원으로 어쩌면 노먼마레의 기록을 깰지도 모름

- 홀인원 잘하는 방법 :
  ① 짧게 치지 않는다 : 아마추어골퍼들은 비거리에 대한 과신으로 샷을 짧게 친다.
  ② 티를 꽂지 않는다 : 스핀력이 더 강력해진다.
  ③ 핀을 직접 겨냥한다 : 벙커,해저드를 무시하고 공격적인 샷을 한다.

질문 15

홀인원 [알바트로스]을 하면 축하비용이 얼마나 소요되나요?

□ **골프보험 가입시** : 보험가입금액만큼 **실비보상**되니 **아래 비용**을 **감안**하여 **비용**을 **지급**하면 됨
□ **골프보험 미가입시** : 아래 절차 중 **꼭 필요한 비용**만 **지불**하는게 **좋음 [개인부담]**

 **캐디 지원금** : 보통 **30만~50만원**

 **동반자 식사 비용 / 앞팀, 뒷팀 : 그늘집 대접**

 **이 멤버** 그대로 **차후** 동반 **라운딩 비용 일체**

 **골프장 식수**(축하 나무심기) : **100~200만원**

 **골프연습장 : 축하 떡, 골프공**등 **선물**돌리기 **비용일체**

골프보험

질문 16

홀인원 [알바트로스]을 하면 어떤 절차를 거쳐야 하나요?

 **흰수건** 깔고 **축하 절**하고 공을 **휴지**나 **수건**에 **포장** : **캐디**

 골프장 **경기운영과**에 **연락** : **캐디**

 홀인원 **증서** + **스코어지** + 홀인원**공 포장** : **골프장**에서 **우편발송**

 기념**라운딩**, 축하**파티**, 축하**선물** 등 **영수증** 준비 : **홀인원 골퍼**

 골프보험 **가입시** 홀인원 **보험금 청구** : **홀인원 골퍼**

질문 17

홀인원하면 골프장에서 인증서를 준다면서요?

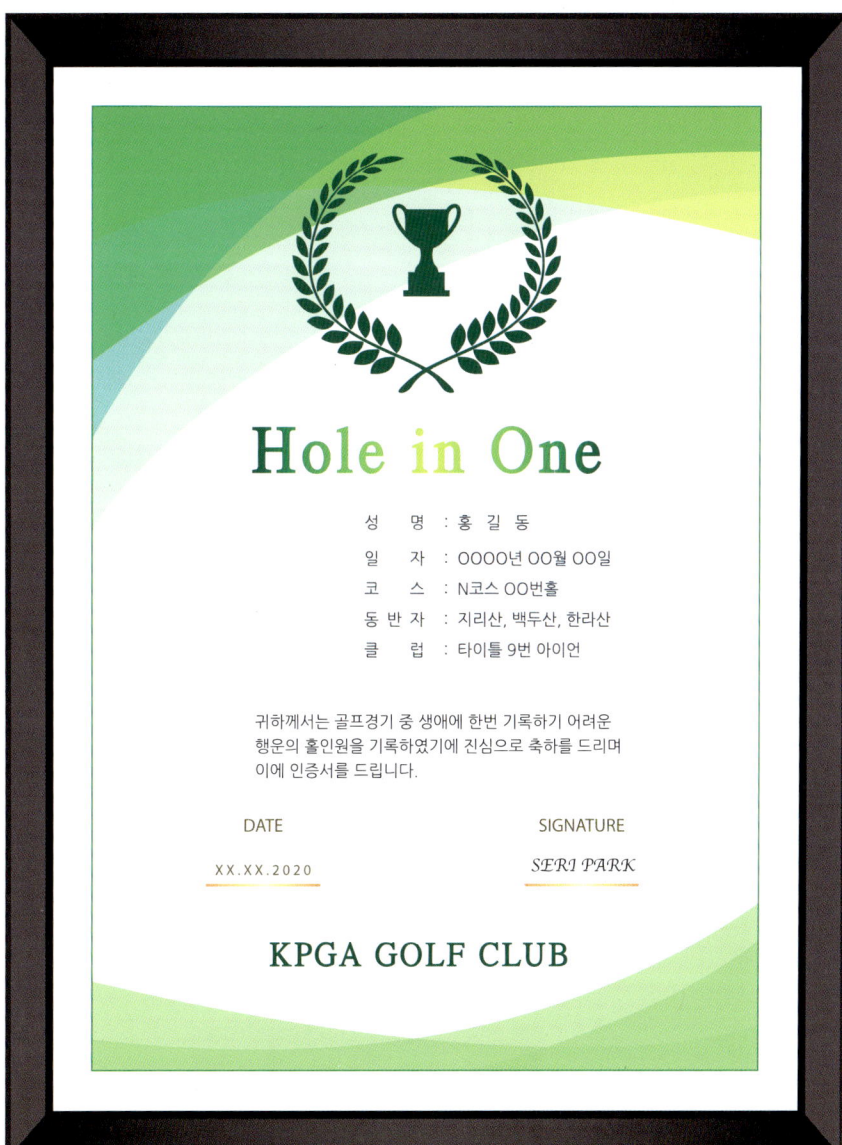

홀인원시 보통 골프장에서 아래 3가지를 보내옴
① **홀인원인증서**
② **스코어카드**
③ 포장된 홀인원 당시 **골프공**

골프보험

질문 18 홀인원 담보가 **300만원** 한도라는데 가입금액을 **더 높일 수**는 없나요?

가능합니다.

손보사마다 보통 가입금액이 **300만원** 한도이므로 **2~3개회사에 가입**하면 **원하는 가입금액으로 가입 가능**

※ 단. 홀인원담보는 실비보상(실제 사용한 비용을 지급)이므로 과다하게 가입할 필요는 없음

300만원

홀인원

고반물질30은 다모아미디어의 고유자산으로 무단 전제·복제 및 임의 사용시 저작권법 위반으로 5년이하의 징역 혹은 5천만원 이하의 벌금형이 부과됩니다.

질문 19
스크린골프장에서 홀인원을 해도 골프보험에서 보상되나요?

보상되지 않습니다.

종전에는 **한화손해보험** 골프담보 중 **스크린골프장**에서의 **홀인원도 보상**되었으나 **담보**가 **삭제**되어 **지금은** 해당 **보험금을 지급**하는 **담보**가 없음

질문 20: 해외골프장에서 홀인원해도 홀인원 보상되나요?

보상되지 않습니다.

모럴리스크나 **홀인원**을 **확인할 수** 있는 방법이 **없어 면책**

오른쪽 약관의 내용처럼 '**국내 소재**의 **회원제골프장** 및 **정규대중골프장** [단.18홀미만 일반대중골프장은 제외] **에서만 보상**됨

※ 2000년대 초반의 골프보험들은 해외에서의 홀인원/알바트로스도 보상되었음

2-1. 홀인원비용(실손) 특별약관

제1조(골프장 등의 정의)

① 이 특별약관에서 "골프장"이라 함은 각 홀이 서로 다른 티잉그라운드(Teeing Ground), 해저드(Hazard), 퍼팅그린(Putting Green) 및 스루더그린(Through the Green)으로 구성된 18홀 이상을 보유하고 있는 국내 소재의 회원제골프장 및 정규대중골프장을 말합니다. 다만, 18홀 미만의 일반대중골프장은 제외합니다.

② 이 특별약관에서 "골프경기"라 함은 골프장에서 골프장에 속한 캐디를 보조자로 하고 동반경기자 2명 이상(골프장이 주최 또는 공동 주최한 공식경기의 경우에는 그렇지 않습니다)과 기준타수(PAR) 72이상의 18홀을 정규로 라운드 하는 것을 말합니다. 다만, 우천 등의 사유로 라운드가 중지되었을 경우에는 9홀 이상을 라운드 한 경우 골프경기로 인정합니다.

③ 이 특별약관에서 "홀인원(Hole in One)"이라 함은 각 홀에서 제1타에 의해 볼이 직접 홀에 들어가는 것을 말합니다.

④ 이 특별약관에서 "홀인원비용"이라 함은 다음 각 호의 비용을 부담함으로써 입은 손해를 말합니다.
  1. 증정용 기념품 구입비용. 단, 다음의 구입비용은 제외합니다.
     가. 상품권 등의 물품전표
     나. 선불카드(다만, 피보험자가 홀인원을 기념하기 위하여 특별히 작성한 것은 보상합니다)
  2. 축하만찬 비용
  3. 축하라운드 비용(그린피, 캐디피, 카트비용 등)

⑤ 제4항 제1호의 "증정용 기념품 구입비용"이라 함은 홀인원을 행한 경우에 동반경기자, 친구 등에 증정할 기념품의 구입대금 또는 우송비용을 말합니다.

※ 한화손해보험의 '굿샷골프보험' 약관내용임

목차 [질문 21~30번]

21. 골프용품손해[골프장내]가 무엇인가요?

22. 골프활동중과 일상생활중 배상책임과는 어떤 차이가 있나요?

23. 내가 친공이 다른 사람을 다치게 하면 골프장에서 보상하나요?

24. 내가 친공이 골프장의 유리를 깨면 골프장에서 보상하나요?

25. 골프보험 보험료는 얼마나 나오나요?

26. 100%환급되는 골프보험은 없나요?

27. 골프보험 가입시 골프용품 세부목록이 있어야 한다던데 세부목록은?

28. 골프보험을 가입할 때 세부절차에 대해 알려주세요?

29. 보험금청구서류에 대해 알려주세요?

30. 골프 관련 유머

고반물질30은 다모아미디어의 고유자산으로 무단 전제·복제 및 임의 사용시 저작권법 위반으로 5년이하의 징역 혹은 5천만원 이하의 벌금형이 부과됩니다.

질문 21: 골프용품손해 [골프장내&밖]가 무엇인가요?

골프용품손해 특별약관

제1조(보상하는 손해)
회사는 피보험자가 이 특별약관의 보험기간 중에 **골프시설**(골프의 연습 또는 경기를 행하는 시설을 말하며, 골프연습장,탈의실등 그외 부속시설을 포함합니다)**구내**에서 골프의 연습, 경기 또는 지도(이에 따른 탈의, 휴식을 포함합니다)중에 생긴 아래의 손해를 보험증권에 기재된 이 특별약관의 보험가입금액 한도내에서 보상합니다.
1. 보험증권에 기재된 **골프용품**(**골프채. 골프가방. 그 밖의 골프용구** 또는 **피복류**를 말합니다. 이하 "보험목적"이라 합니다.) 에 생긴 **화재(낙뢰 포함)** 및 **도난손해**
2. 우연한 사고로 골프채가 **부러지거나 휘어지거나 파손**됨으로써 생긴 손해

골프용품손해(확장) 특별약관

제1조(보상하는 손해)
회사는 피보험자가 이 특별약관의 보험기간 중에 골프시설(골프의 연습 또는 경기를 행하는 시설을 말하며, 골프연습장, 탈의실등 그외 부속시설을 포함합니다)구내에서의 골프용품손해를 제외한 **골프시설밖의 장소**에서 입은 손해를 보험증권에 기재된 이 특별약관의 보험가입금액 한도내에서 보상합니다.
1. 보험증권에 기재된 **골프용품**(**골프채. 골프가방. 그 밖의 골프용구** 또는 **피복류**를 말합니다. 이하 "보험목적"이라 합니다.) 에 생긴 **화재(낙뢰 포함)** 및 **도난손해**
2. 우연한 사고로 골프채가 **부러지거나 휘어지거나 파손**됨으로써 생긴 손해

제2조(보상하지 않는 손해)
회사는 원인의 직접·간접을 묻지 않고 아래의 사유로 생긴 손해는 보상하지 않습니다.
1. 골프용품의 사용과 관리를 위탁받은 자 또는 피보험자와 세대를 같이하는 친족(민법 제777조)의 **고의**
2. 골프용품에 존재하고 있는 **흠. 마멸. 부식. 녹** 또는 **쥐나 벌레**로 인한 **손해**
3. **분실**
4. 보험계약자, 피보험자의 **고의** 또는 **중대한 과실**

※ 한화손해보험의 '굿샷골프보험' 약관내용임

질문 22: 골프활동중과 일상생활중 배상책임과는 어떤 차이가 있나요?

골프활동중 배상책임
- **골프활동중** 제3자의 신체나 재산상의 피해를 보상
- **골프장 및 시설내**에서 타구로 인해서 **타 플레이어**나 캐디를 **다치게** 하거나 **골프장의 시설**을 **파손**시 보상

일상생활중 배상책임
- **일상생활 중(24시간내내)** 제3자의 신체나 재산상의 피해를 보상
- **골프와 무관**하게 일상생활중 제3자의 신체나 재산을 보상하는 **골프활동중**배상책임**보다 포괄적 개념**

질문 23: 내가 친 공이 다른 사람을 다치게 하면 골프장에서 보상하나요?

아닙니다.

내가 가입한 배상책임보험에서 배상해야 합니다.
만약, 미가입시 자비로 배상처리 해야 합니다.

질문 24: 내가 친 공이 골프장의 유리를 깨면 골프장에서 보상하나요?

아닙니다.

내가 가입한 배상책임보험에서 배상해야 합니다.
만약, 미가입시 자비로 배상처리 해야 합니다.

골프보험

질문 25 : 골프보험 보험료는 얼마나 나오나요?

보험가입 내역
가입예시 : 50세 남자, 보험료 : 월납 50,000원

보장내용	보장세부내역	보장금액
보통약관(화재상해후유장해(3~100%))	**화재로 상해**를 입고 후유장해 발생시	1,000만원
상해사망	**상해사망**시 가입금액 지급	5,000만원
교통상해사망	**교통사고로 사망한 경우** 가입금액 지급	1,000만원
골프용품손해 [실손]	골프시설 **내**에서 등록된 골프용품의 **화재. 도난. 파손**시 가입금액 한도내 수선비 보상	100만원
골프용품손해확장 [실손]	골프시설 **밖**에서 등록된 골프용품의 **화재. 도난. 파손**시 가입금액 한도내 수선비 보상	100만원
홀인원비용(실손) [최초1회한]	**홀인원**을 행한 날로부터 **1개월이내**에 **소요된** 홀인원**비용**(약관에서 정한 비용에 한하며, 축하라운드 비용은 3개월이내에 소요된 금액)	300만원
알바트로스비용(실손) [최초1회한]	**알바트로스**를 행한 날로부터 **1개월이내**에 **소요된** 알바트로스**비용**(약관에서 정한 비용에 한하며, 축하라운드 비용은 3개월이내에 소요된 금액)	200만원
골프활동중배상책임(2만원공제)	**골프시설 구내**에서 골프의 연습, 경기 또는 지도 중에 생긴 사고로 **타인의 신체 또는 재물에 대한 법률상의 손해**를 보상한도액 한도로 보상(1사고당 자기부담금 2만원)	2,000만원
민사소송법률비용 II (실손)	피보험자에게 **소송이 제기** 되어 판결, 소송상 조정 또는 소송상 화해로 피보험자가 부담한 **법률비용 실손보상**(변호사비용은 2,000만원 한도, 자기부담금 10만원)	3,000만원
가족화재벌금(실손)	화재로 실화 또는 업무상실화, 중실화에 따른 벌금형이 확정판결된 경우 **1,500만원~2,000만원** 한도로 **벌금**을 보상	2,000만원

해지환급금
5년납5년만기, 보험료 : 월납 50,000원, 최저보증이율, 남자 50세, 최저보증기준

경과기간	1년	2년	3년	4년	5년
해지환급율	56.1%	58.8%	59.8%	60.3%	60.6%

※ 예시 : 한화 세이프투게더 생활종합보험 무배당2404

질문 26: 100%환급되는 골프보험은 없나요?

 **환급율이 100%를 초과하는 골프보험은 없습니다.**

골프보험 역시 보장담보가 있는 상품이고 손해율이 비교적 높은 상품으로 보험료를 높이면 만기환급율이나 해지환급율을 높일 수는 있으나 저축상품처럼 환급율이 100% 이상 되는 상품이 아닌 **보장성상품**

골프보험

고반물질30은 다모아미디어의 고유자산으로 무단 전제·복제 및 임의 사용시 저작권법 위반으로 5년이하의 징역 혹은 5천만원 이하의 벌금형이 부과됩니다.

질문 27: 골프보험 가입시 **골프용품 세부목록**이 있어야 한다던데 **세부목록은?**

▫ 골프용품 체크리스트

구분	세부명칭	제조사	개수	년식	구입금액
우드	1번 (드라이브)				
	2번 (브래시)				
	3번 (스푼)				
	4번 (배피)				
	5번 (클리크)				
아이언	1번 (드라이빙 아이언)				
	2번 (미드 아이언)				
	3번 (미드 매쉬)				
	4번 (매쉬 아이언)				
	5번 (매쉬)				
	6번 (스패이드 매쉬)				
	7번 (매쉬 니블리크)				
	8번 (피칭 니블리크)				
	9번 (니블리크)				
	P/W (피칭웨지)				
	A/W (어프로치웨지)				
	S/W (샌드웨지)				
퍼터					
하이브리드 (유틸리티)					
골프가방 (=캐디백)					
보스턴백 (=옷가방)					
골프화					

※ 제조사는 왼쪽의 제조사명의 숫자를 적으면 됨

NO	브랜드명	NO	브랜드명	NO	브랜드명
1	기가	11	브릿지스톤(투어스테이지)	21	코브라
2	까무이	12	아담스	22	클리브랜드
3	나이키	13	아키아	23	킹코브라
4	니켄트	14	야마하	24	타이틀리스트
5	다이와	15	에스야드	25	테일러메이드
6	던롭젝시오&스릭슨	16	엑스트론	26	핑
7	마루망	17	오딧세이	27	혼마
8	맥그리거	18	잭니클라우스	28	휠라
9	미사일	19	카스코	29	PRGR(프로기어)
10	미즈노	20	캘러웨이	30	PXG

▫ 골프용품 확인방법

1. 골프용품 혹시 풀세트로 같은 브랜드를 구매하셨나요?
   YES : 어느 브랜드 사용하세요? 아이언 몇 번부터 몇 번까지 가지고 계세요?
   NO : ↓ 2번 질문사항으로 확인할 것!!!
2. ① 드라이버는 어느 브랜드 사용하세요?
   ② 우드 몇 번, 몇 번 가지고 계세요? 각각의 브랜드 말씀해 주세요?
   ③ 아이언은 몇 번, 몇 번 가지고 계세요? 웨지까지 포함해서 각각의 브랜드 말씀해 주세요?
   ④ 퍼터는 어느 브랜드 사용하세요?
   ⑤ 이 외에 추가적으로 유틸리티(하이브리드) 사용하시는 거 있으세요?
      YES : 브랜드명 말씀해주세요?
   ⑥ 캐디백(골프가방), 보스턴백(옷가방), 골프화등 추가로
      사용하시는 용품 있으세요?

고반물질30은 다모아미디어의 고유자산으로 무단 전제·복제 및 임의 사용시 저작권법 위반으로 5년이하의 징역 혹은 5천만원 이하의 벌금형이 부과됩니다.

질문 28 골프보험을 가입하려면 어떤 절차를 밟아야 하나요?

 **가입금액 확인 [홀인원, 알바트로스, 골프용품, 배상책임등]**

⬇

 **가입기간, 보험료, 만기환급금 등 확인**

⬇

 **골프용품 세부리스트 (모델, 개수, 연식, 구입금액) 파악**
[※ 보험사 소정양식]

⬇

 **골프보험을 취급하는 유리한(인수조건, 가입금액등) 보험사 선택**

골프보험

고반물질30은 다모아미디어의 고유자산으로 무단 전제·복제 및 임의 사용시 저작권법 위반으로 5년이하의 징역 혹은 5천만원 이하의 벌금형이 부과됩니다.

질문 29: 보험금청구서류에 대해 알려주세요?

구분	구비서류	서류발급기관
공통서류	☐ 보험금청구서 ☐ 개인정보처리동의서 (반드시 동의함에 동의 표시, 서명날인) ☐ 신분증 사본 (해외여행시 여권 및 사증) ☐ 통장사본 (신분증, 통장사본 보험금 청구서 기재시 생략가능/청구자가 피보험자가 아닌 경우 별도 서류 필요)	당사양식
용품손해 (수리가능)	☐ 사고경위서 (사고일시/장소, 사고경위, 피해품 내역등 상세히 기재) ☐ 수리비 영수증 ☐ 파손 사진 ☐ 골프채 구입(과거) 증명서류 (준비 불가시, 사고 경위서 피해사항에 자세히 기재)	당사양식 수리업체 구입업체
용품손해 (수리불가)	☐ 사고경위서 (사고일시/장소, 사고경위, 피해품 내역등 상세히 기재) ☐ 수리비 영수증 ☐ 수리불가 확인서 (모델명, 수리불가 사유기재, 수리업체 명판+직인날인 必) ☐ 파손 물품 (택배로 각 보험사 보상담당자로 발송) ☐ 골프채 구입(과거) 증명서류 (준비 불가시, 사고 경위서 피해사항에 자세히 기재)	당사양식 수리업체 구입업체
용품손해 (도난)	☐ 도난사실확인원(Police Report) ※ 분실은 약관상 면책 -> 현지 경찰서 미신고 시 가이드 확인서 + 가이드재직증명서로 대체 가능 ☐ 피해품 내역서(품목모델, 구매년월, 구매금액 반드시 기재 후 서명) ☐ 피해품 구입 영수증 (준비 불가 시 사고경위서 피해사항에 자세히 기재)	경찰서 당사양식
홀인원 /알바트로스	☐ 홀인원 증명서 / 알바트로스 증명서 ☐ 영수증 ☐ 스코어 기록지 (동반경기자, 캐디명이 위 증명서와 기록지 중 한 곳에는 기재되어야 함) ☐ 축하회, 증정용 기념품 구입비용, 기념식수 비용, 캐디축의금 (※ 인정범위 : 홀인원 1개월이내, 간이영수증 50만원 이내, 당일 라운딩 비용 보상제외) ☐ 축하라운딩은 3개월 이내 영수증 가능	CC CC

※ 사고내용이나 특성에 따라 추가서류 요청이 필요할 수 있으며, 보험사마다 원하는 서류가 다를 수 있음
※ **골프용품손해 보상**은 **감가상각 적용**되고, 안내가 필요한 경우 **담당자의 연락**이 갈 수 있습니다.

고반물질30은 다모아미디어의 고유자산으로 무단 전제·복제 및 임의 사용시 저작권법 위반으로 5년이하의 징역 혹은 5천만원 이하의 벌금형이 부과됩니다.

질문 30 골프타수별 유머

60타 나라를 먹여살리고,

70타 가정을 먹여살리고,

80타 골프장을 먹여살리고,

90타 친구를 먹여살리고,

100타 골프공 회사를 먹여살린다.

고객이 반드시 물어보는 질문 30가지
고반물질30
ver.20211101

태블릿앱 + 스마트폰앱 + 북 [손보·생보 각2권]

고반물질30_정의

보험세일즈북의 '실전편'

- 기존 보험세일즈북 : 보험세일즈의 교과서_이론편 [총160페이지]
- 고반물질 30 : 보험세일즈북의 참고서_실전편 [총500가지 질문]
  - 보험영업사원들이 24시간 언제, 어디서든 학습을 통해 생·손보 상품 총16개를 학습함으로써 생보출신이든 손보출신이든 원수사 조직이든 GA조직이든 보험의 전반적인 지식 체득 가능

고반물질30_구성   앱[스마트폰·태블릿] & 북[4권]

총16개과목 [손보8개+생보8개] : "총500개_교육동영상"

- 손해보험 [8개] : 260가지 질문
  ① 자동차보험(30개) ② 운전자보험(30개) ③ 의료실비보험(30개) ④ 화재보험(50개)
  ⑤ 배상책임보험(30개) ⑥ 암보험(30개) ⑦ 뇌·심·다빈도질병보험(30개) ⑧ 골프보험(30개)
- 생명보험 [8개] : 240가지 질문
  ① 종신·정기·CI보험(30개) ② 변액보험(30개) ③ 연금·저축보험(30개) ④ 단체보험(30개)
  ⑤ 간병보험(30개) ⑥ CEO플랜(30개) ⑦ 상속·증여(30개) ⑧ 치아보험(30개)

고반물질30_이용방법

플레이스토어 or 앱스토어 실행
=> "고반물질30" 검색
=> 다운로드 => 열기

- 고반물질30 앱은 구매후 사용 가능하며 구입문의는 뒷면 연락처로 문의 바랍니다.

고반물질30_샘플동영상

의료실비보험 질문07   CEO플랜 질문12   암보험 질문01

고반물질30은 동영상(태블릿 or 스마트폰)+교재(book)로 반복 학습하셔야 효과를 극대화 하실 수 있습니다

고객이 반드시 물어보는 질문 30가지

고반물질30 _ 손해보험 2편

초판 1쇄 2020년 11월 15일
4 판 1쇄 2024년 05월 15일

지은이	이은석
발행인	조미경
디자인	다모아미디어
편집장	이영필

발행처	다모아미디어
주소	울산광역시 남구 왕생로 45번길 10, 다모아빌딩
문의전화	010-4687-4930
홈페이지	www.damoamedia.com
출판신고번호	제 2020-000015호	신고일자 2020년 9월 29일

ISBN
ISBN

잘못된 책은 바꾸어 드립니다.

**이책은 저작권법에 따라 보호받는 저작물이므로 무단 전재와 무단 복제를 금하며,
책 내용의 전부 또는 일부를 이용하려면 반드시 다모아미디어와 저작권자의 동의를 받아야 합니다.**